ARSÈNE LUPIN

MAURICE LEBLANC

ARSÈNE LUPIN
E VICTOR, DA BRIGADA ANTICRIME

Tradução
Mônica Medrado

Principis

Esta é uma publicação Principis, selo exclusivo da Ciranda Cultural
© 2021 Ciranda Cultural Editora e Distribuidora Ltda.

Traduzido do original em francês
Victor, de la Brigade Mondaine

Texto
Maurice Leblanc

Tradução
Mônica Medrado

Preparação
Mirtes Ugeda Coscodai

Revisão
Maitê Ribeiro

Produção editorial
Ciranda Cultural

Diagramação
Linea Editora

Design de Capa
Ciranda Cultural

Imagens
alex74/shutterstock.com;
YurkaImmortal/shutterstock.com;
Lisa Kolbasa/shutterstock.com;
Maryia Darozhka ART/shutterstock.com;
Ilya Bolotov/shutterstock.com;
ntnt/shutterstock.com

Dados Internacionais de Catalogação na Publicação (CIP) de acordo com ISBD

L445a	Leblanc, Maurice
	Arsène Lupin e Victor, da brigada anticrime / Maurice Leblanc ; traduzido por Mônica Medrado. – Jandira, SP : Principis, 2021. 192 p. ; 15,5cm x 22,6cm. - (Arsène Lupin)
	Tradução de: Victor, de la Brigade mondaine ISBN: 978-65-5552-505-2
	1. Literatura francesa. 2. Ficção. I. Medrado, Mônica. II. Título. III. Série.
2021-1829	CDD 843 CDU 821.133.1-3

Elaborado por Vagner Rodolfo da Silva - CRB-8/9410

Índice para catálogo sistemático:
1. Literatura francesa : Ficção 843
2. Literatura francesa : Ficção 821.133.1-3

1ª edição em 2021
www.cirandacultural.com.br
Todos os direitos reservados.
Nenhuma parte desta publicação pode ser reproduzida, arquivada em sistema de busca ou transmitida por qualquer meio, seja ele eletrônico, fotocópia, gravação ou outros, sem prévia autorização do detentor dos direitos, e não pode circular encadernada ou encapada de maneira distinta daquela em que foi publicada, ou sem que as mesmas condições sejam impostas aos compradores subsequentes.

SUMÁRIO

Ela corre. A lebre está correndo 9
O boné cinza 27
A amante do barão 41
As investigações 55
A princesa Basileïef 67
As apólices do governo 82
Os cúmplices 96
A grande batalha no Hotel Cambridge 112
No coração da Praça 129
O dossiê ALB 146
A angústia 159
O triunfo de Lupin 171

Victor, da Brigada Anticrime, a quem o roubo das apólices do governo, o duplo assassinato do padre Lescot e de Élise Masson, e a sua teimosa luta contra Arsène Lupin lhe valeram enorme reputação, era, antes dessa época, um velho policial, habilidoso, ardiloso, ranzinza, insuportável mesmo, que fazia seu trabalho amador para quando lhe "desse na telha"; razão pela qual a imprensa muitas vezes teve oportunidade de destacar suas atitudes atípicas e seu método para lá de imaginativo. Devido ao impacto provocado por algumas reclamações, no comandante-geral da polícia, eis aqui a nota confidencial que a ele foi comunicada pelo senhor Gautier, diretor da polícia judiciária, apoiador incondicional de seu subordinado.

O inspetor Victor, cujo verdadeiro nome é Victor Hautin, é filho de um promotor público, falecido em Toulouse há quarenta anos. Victor Hautin passou parte de sua vida nas colônias francesas. Admirável funcionário público, encarregado das mais delicadas e perigosas missões, muitas vezes teve de ser transferido após reclamações feitas contra ele por maridos, cujas esposas seduzira, ou por pais, cujas filhas levara consigo. Esses escândalos o impediram de reivindicar altos cargos administrativos.

Mais sossegado ao longo dos anos, e após herdar uma bela fortuna, mas ansioso para ocupar o seu tempo livre, foi-me recomendado por um de meus primos, residente em Madagascar, que tinha grande estima por Victor Hautin. Na verdade, apesar da sua idade, da sua excessiva independência e do seu caráter sombrio, trata-se de um auxiliar precioso, discreto, sem ambição, pouco preocupado com propagandas e cujos serviços aprecio em demasia.

Francamente falando, quando essa nota foi escrita, a fama de Victor não ultrapassava seu estreito círculo de chefes e de colegas. Para colocá-lo em evidência, foi preciso aparecer inesperadamente, diante dele, esse extraordinário, esse formidável personagem chamado Arsène Lupin, que daria ao soturno caso das apólices o seu significado e a sua merecida atenção. Parece que as já notáveis qualidades do velho inspetor foram subitamente elevadas à máxima potência pelo prodigioso adversário que, dadas as circunstâncias, constituía um desafio.

Travou uma batalha ardente, implacável, cheia de ódio e de artimanhas. De início, nas sombras, depois em pleno lampejo, foi por conta da inesperada reviravolta com que esse caso termina, aliada ao prestígio de Lupin, que fizeram o nome de Victor, da Brigada Anticrime, famoso em todo o mundo.

ELA CORRE. A LEBRE ESTÁ CORRENDO...

1

Foi por puro acaso que Victor, da Brigada Anticrime, entrou no Cine Balthazar, em um domingo à tarde. Uma falha em uma perseguição o fez abortar uma missão, por volta das quatro horas, no populoso Boulevard de Clichy. Para escapar da confusão de um parque de diversões, ele se sentou no terraço de um café e, percorrendo um jornal vespertino, leu este pequeno artigo:

Dizem que, por estes dias, o célebre ladrão Arsène Lupin, depois de alguns anos de silêncio, mas de quem se fala muito ultimamente, foi visto em uma cidade do Leste, na última quarta-feira. Inspetores foram enviados de Paris. E mais uma vez, ele teria escapado das garras da polícia.

"Canalha!", murmurou Victor, um policial inflexível que considera os malfeitores como inimigos pessoais, e que se dirige a eles com termos desprovidos de qualquer amenidade.

Foi então que, bastante mal-humorado, refugiou-se no cinema, onde, na segunda sessão, era exibido um filme popular de aventuras policiais. Ele se sentou no balcão lateral. O intervalo chegava ao fim. Victor resmungou, agora furioso com sua decisão. O que ele estava fazendo lá? Estava prestes a sair e já ia se levantando, quando viu sozinha, em um camarote à sua frente, a poucos metros dele, uma mulher lindíssima, de rosto pálido, usando uma bandana vermelha, de reflexo alaranjado. Era uma daquelas admiráveis criaturas para quem todos os olhares são atraídos, mesmo que não procurasse chamar atenção nem pela forma como se portava, nem pela exibição de qualquer ostentação.

Victor permaneceu. Antes que a escuridão tombasse sobre a sala, ele teve tempo de registrar o reflexo alaranjado da bandana e o brilho metálico de seus olhos claros e, sem se preocupar com o tédio que lhe provocavam as aventuras extravagantes do filme, ficou até o final.

Não que ainda estivesse na idade de se acreditar capaz de agradar a uma mulher. Não. Ele conhecia muito bem o azedume de seu aspecto, seu ar hostil, sua pele rugosa, suas têmporas grisalhas; em suma, esse conjunto grosseiro de um ex-ajudante de cavalaria que passou dos cinquenta anos, e que buscava se fazer elegante dentro de roupas muito justas e que cheiravam a confecção ordinária. Mas a beleza feminina era um espetáculo do qual ele não se cansava e que o fazia lembrar-se das melhores emoções da sua vida. Além disso, gostava do seu trabalho, pois algumas imagens o faziam querer discernir entre o que nelas se escondia de misterioso, de trágico ou, até mesmo, de infinitamente simples.

Quando a luz se difundiu novamente, a mulher se levantou, e ele constatou que ela era alta, muito distinta e muito bem-vestida, características essas que só o estimulavam. Ele queria ver, e queria saber tudo sobre ela, então decidiu que a seguiria, mais por curiosidade pessoal que por interesse profissional. Mas, no momento em que ele ia se aproximar, houve um tumulto repentino embaixo do balcão, entre a massa de espectadores que saía. Os gritos aumentavam. Uma voz masculina esbravejou:

– Pega ladrão! Detenham-na! Ela me roubou!

A elegante senhora debruçou-se para ver o tumulto. Victor se debruçou também. Embaixo, no corredor central, um jovem baixo e corpulento, gesticulava com o rosto contraído, lutando furiosamente para abrir caminho entre a fila de gente apressada ao seu redor. A pessoa para quem ele apontava o dedo em riste e tentava alcançar devia estar bem longe, pois nem Victor, nem nenhum dos espectadores, notou uma mulher correndo, tentando fugir. No entanto, ele vociferava, ofegante, erguendo-se na ponta dos pés, avançando com cotoveladas e dando empurrões com os ombros:

– Ali!... ali!... ela está atravessando a porta... de cabelos negros... de vestido preto... de chapéu...

Ele ofegava, incapaz de dar qualquer informação que pudesse identificar a mulher. Ao final, empurrou as pessoas com tanta violência que conseguiu abrir caminho e pular pelo saguão de entrada, até o vão dos portões abertos.

Foi aqui que Victor, que já descera do balcão, juntou-se a ele e o ouviu dizer novamente:

– Pega ladrão! Detenham-na!

Todo o barulho do parque de diversões crepitava do lado de fora, uma intensa nuvem de poeira se erguia na sombra do anoitecer. Atormentado, tendo sem dúvida perdido a fugitiva de vista, o jovem, imóvel por dois ou três segundos na calçada, a rastreava com os olhos, espiando à direita, à esquerda, à frente. Então, de supetão, ele a viu e correu em direção à Praça Clichy, deslizando por entre carros e bondes.

Ele já não gritava, mas corria rápido, às vezes pulando, como se esperasse surpreender novamente aquela que o roubara, entre as centenas de transeuntes. No entanto, ele tinha a impressão de que, desde o cinema, alguém também corria, quase que ao seu lado, e isso deve tê-lo encorajado, porque redobrou de velocidade.

Uma voz lhe perguntou:

– O senhor ainda a vê?... Como diabos pode vê-la?

Esbaforido, ele sussurrou:

– Não... eu não a vejo mais. Mas ela certamente pegou essa rua daqui...

Ele seguiu por uma rua bem menos movimentada, onde seria impossível não distinguir uma mulher que caminhava mais rápido do que os outros.

Em um cruzamento, ele ordenou:

– Pegue a rua da direita... e eu, esta daqui. Nos encontraremos no final dela... Lembre-se... de cabelos castanhos, vestida de preto...

Mas não tinha dado nem vinte passos, na rua por ele escolhida, e se escorou contra um muro, sem fôlego, cambaleante. E foi somente nesse momento que percebeu que seu companheiro não só não o tinha obedecido, como ainda também se escorava em sinal de reciprocidade ao seu cansaço.

– Como? – perguntou ele encolerizado. – O senhor de novo? E, no entanto, eu o recomendei...

– Sim – respondeu o outro –, mas o senhor parecia escolher o caminho ao acaso, desde a Praça Clichy. É preciso pensar. Estou acostumado com histórias desse tipo. Às vezes, vamos mais rápido sem nos mexer.

O jovem observou essa figura prestativa que, estranhamente, apesar de sua aparência idosa, não estava esbaforido com a corrida.

– Ah! – exclamou ele, carrancudo. – Então o senhor está acostumado com isso?

– Sim, sou da polícia... Inspetor Victor.

– O senhor é da polícia? – repetiu o jovem distraidamente, com os olhos fixos. – Nunca vi um sujeito da polícia.

Teria sido essa uma apresentação agradável ou desagradável para ele?

Ele estendeu a mão para Victor e agradeceu.

– Adeus. O senhor foi muito gentil – e já ia se afastando, quando Victor o deteve.

– Mas, e quanto a essa mulher? Essa ladra?

– Não se preocupe... vou encontrá-la.

– Eu poderia ajudá-lo, basta apenas que me dê algumas informações.

– Informações? Sobre o quê? Eu me enganei.

Virou-se e começou a andar mais rápido. O inspetor o acompanhou, com o mesmo passo apressado e, quanto mais o outro parecia ansioso para interromper a conversa, mais ainda o inspetor se aproximava dele. Não se falavam mais. O jovem parecia com pressa de alcançar um propósito que já não era mais o de capturar a ladra, visto que ele obviamente caminhava sem direção.

– Vamos entrar aqui – disse o inspetor, que agora o conduzia pelo braço em direção ao andar térreo, e cujo letreiro vermelho indicava: Delegacia de Polícia.

– Aqui? Para fazer o quê?

– Precisamos conversar e o meio da rua não é o melhor lugar.

– O senhor é louco! Deixe-me em paz! – protestou o estranho.

– Não sou louco e não vou deixá-lo em paz – objetou Victor, ainda mais implacável ao se lembrar que, por causa dessa perseguição, tinha abandonado a bela mulher do cinema.

O estranho resistiu, deu um soco, recebeu dois e, por fim, derrotado, dominado, foi empurrado para uma sala onde estavam reunidos cerca de vinte agentes uniformizados.

– Victor, da Brigada Anticrime – anunciou o inspetor ao entrar. – Tenho algumas palavras para trocar com esse cavalheiro. Algum inconveniente nisso, suboficial?

O anúncio desse nome, Victor, famoso no meio policial, provocou uma onda de curiosidade. O suboficial colocou-se imediatamente à disposição dele, e Victor explicou-lhe brevemente o caso. O jovem desabou em um banco.

– Exausto, hein! – exclamou Victor. – Mas também, por que o senhor corria feito louco, logo após ter perdido sua ladra de vista? Ou era o senhor que estava fugindo?

O outro se indignou:

– Mas, ora, o que o senhor tem a ver com isso? Tenho todo o direito de correr atrás de quem eu quiser, diabos!

– O senhor não tem o direito de provocar escândalo em espaço público, não mais do que o direito de soar o alarme de um trem sem um forte motivo...

– Eu não fiz mal a ninguém.

– Sim, fez a mim. Eu estava seguindo uma pista extremamente interessante. Que pena! Seus documentos...

– Não os tenho.

Não demorou muito, e Victor com agilidade ainda mais feroz vasculhou a casaca do detido, apanhou sua carteira, examinou-a e perguntou:

– É esse o seu nome, Alphonse Audigrand? Alphonse Audigrand... O senhor já ouviu falar dele, policial?

– Podemos ligar... – o policial sugeriu.

Victor pegou o telefone, perguntou pelo Comando Geral da Polícia, esperou e continuou:

– Alô? Polícia judiciária, por favor... Alô, é você, Lefébure? Sou eu, Victor, da Anticrime. Diga, Lefébure, tenho aqui em minhas mãos um tal senhor Audigrand que não me parece muito católico. Esse nome lhe diz alguma coisa? Hein? O quê? Sim, Alphonse Audigrand... Alô... um telegrama de Estrasburgo? Leia-o para mim... Perfeito... Perfeito... Sim, um gordinho, de bigodes caídos... Certo... Quem está de serviço na repartição? Hédouin, o inspetor-chefe? Coloque-o a par disso e diga para que ele venha buscar nosso homem na delegacia da Rua des Ursins. Obrigado.

O homem ajeitou-se na cadeira.

Ao desligar, o inspetor virou-se para Audigrand e disse:

— Empregado do Banco Central do Leste, o senhor está desaparecido desde a última quinta-feira, dia do roubo das nove apólices do governo. Um belo golpe de novecentos mil francos! Caso sórdido! E foi justamente esse tesouro que lhe roubaram no cinema, agora há pouco. Quem? E quanto à sua ladra?

Audigrand chorava, sem forças para se defender, e sem pensar confessou:

— Esbarrei com ela anteontem, no metrô; ontem almoçamos e jantamos juntos. Por duas vezes, ela percebeu que eu estava escondendo um envelope pardo no bolso. Hoje, no cinema, ela ficou o tempo todo debruçada sobre mim, beijando-me...

— O envelope continha as apólices?

— Sim.

— O nome da mulher?

— Ernestine.

— Ernestine de quê?

— Não sei.

— Ela tem família?

— Não sei.

— Ela trabalha?

— É datilógrafa.

— Onde?

— Em um depósito de produtos químicos.

— Endereço?

— Não sei. Encontramo-nos perto do bairro da Madeleine.

Ele soluçava tanto que foi difícil entendê-lo. Victor, que não precisava saber de mais detalhes, levantou-se, entendeu-se com o policial para que nenhum cuidado fosse negligenciado e voltou para jantar em sua casa.

Para ele, o senhor Audigrand não tinha mais valia. Chegou até a se arrepender por ter se ocupado dele e por ter perdido o contato com a dama do cinema. A bela e tão misteriosa criatura! Por que diabos esse imbecil do Audigrand se interpôs entre ela e Victor, que prezava tanto as belas desconhecidas e que adorava decifrar o segredo de suas almas?

2

Victor morava em uma pequena e confortável casa no bairro de Ternes, onde era atendido por um velho criado. Dono de alguma fortuna, de caráter bastante independente, viajante apaixonado, sentia-se bem à vontade no Comando Geral da Polícia, onde era muito estimado, e onde era considerado como alguém original, um colaborador ocasional mais que um empregado sujeito às regras banais. Se algum caso o incomodasse, nada no mundo o obrigaria a prossegui-lo, nem sob ordem, nem sob ameaça. Por outro lado, se algum outro caso lhe interessasse, ele o agarrava, ia até o fundo e depois levava sua resolução ao diretor da Polícia Judiciária, de quem era protegido. E ninguém mais ouvia falar dele.

No dia seguinte, segunda-feira, leu no jornal o relato da prisão do senhor Audigrand, contado pelo inspetor-chefe Hédouin com uma riqueza de detalhes que o assustava, pois achava que uma boa polícia devia ser discreta. Ele certamente já teria passado a outras tarefas, se este mesmo jornal, evocando a passagem de Arsène Lupin por uma cidade do Leste, não lhe tivesse informado que esta localidade não era outra senão Estrasburgo. As apólices foram roubadas em Estrasburgo! Simples coincidência, claro, já que parecia não haver nenhuma conexão entre esse imbecil do Audigrand e Arsène Lupin. Mas, apesar disso...

Ele averiguou os anuários, investigou as empresas de produtos químicos e percorreu o bairro da Madeleine ao longo da tarde. Apenas às cinco horas é que descobriu a existência de uma mulher chamada Ernestine, datilógrafa na Agência Comercial de Química, à Rua de Mont-Thabor. Ligou para o diretor, e suas respostas o motivaram a fazer uma visita imediata à agência. Ele voou para lá.

Os escritórios eram formados por pequeníssimas salas, separadas umas das outras por finas divisórias. Desde a sua chegada ao gabinete do diretor, esbarrou com forte resistência.

– Ernestine Peillet, uma ladra?! Seria ela a meliante cuja fuga eu li nos jornais dessa manhã? Impossível, senhor inspetor. Os pais de Ernestine são pessoas muito honradas. Ela mora com eles...

– Posso fazer algumas perguntas para ela?

– Se o senhor insiste... – O diretor ligou para o seu subalterno. – Ligue para a senhorita Ernestine.

Uma pessoa miúda se apresentou, de aparência discreta, bastante amável, mas com o rosto franzido de quem, antecipando os piores acontecimentos, estampava um comportamento mais firme.

Essa frágil fachada desabou logo no primeiro golpe, quando Victor lhe perguntou, com seu ar hostil, o que ela fizera na véspera com o envelope pardo roubado de seu companheiro no cinema. Sem mais resistência do que o senhor Audigrand, ela desfaleceu, desmontou em uma cadeira, chorou e gaguejou:

– Ele mentiu... eu vi um envelope pardo no chão... eu o peguei e, foi apenas esta manhã que soube, através do jornal, de que ele me acusava...

Victor estendeu a mão.

– O envelope? A senhora o tem consigo?

– Não. Não sabia onde reencontrar esse cavalheiro. O envelope está lá, em meu escritório, perto da máquina de escrever.

– Vamos lá – disse Victor.

Ela seguiu primeiro. A datilógrafa ocupava um canto rodeado por uma grade e por um biombo. Ela ergueu, da ponta da mesa, um maço de cartas e pareceu surpresa. Espalhou, exaltada, os papéis.

– Nada! – exclamou ela, atordoada. – Ele não está mais aqui.

– Que ninguém se mova! – ordenou Victor à dezena de funcionários que se aglomeravam em torno deles. – Senhor diretor, quando eu lhe telefonei, o senhor estava sozinho em seu escritório?

– Acho que sim… ou não, não… Recordo-me de que a contadora estava comigo, a senhora Chassain.

– Nesse caso, algumas palavras poderiam tê-la colocado a par da situação – precisou Victor. – Por duas vezes, durante a nossa conversa, o senhor me nomeou como inspetor e pronunciou o nome da senhorita Ernestine. Porém, a senhora Chassain sabia pelos jornais, como todo mundo, que a suspeita recaía sobre uma senhorita Ernestine. A senhora Chassain está aqui?

Um dos empregados respondeu:

– A senhora Chassain sempre sai às cinco e quarenta para pegar o trem das seis horas. Ela mora em Saint-Cloud.

– Ela já tinha partido no momento em que pedi para a datilógrafa comparecer à sala da direção, há dez minutos?

– Ainda não.

– A senhorita a viu partir? – Victor perguntou à datilógrafa.

– Sim – respondeu a senhorita Ernestine. – Ela estava colocando o chapéu. Nós conversávamos àquela hora.

– E foi naquele mesmo momento que, chamada à direção, a senhora jogou o envelope pardo por debaixo desses papéis?

– Sim. Até então, eu o guardava dentro do meu corpete.

– E a senhora Chassain percebeu o seu gesto?

– Acho que sim.

Victor, após consultar seu relógio, reuniu alguns pormenores sobre a senhora Chassain, uma mulher de quarenta anos, ruiva, robusta, naquele dia vestia um suéter verde-limão, e depois rapidamente deixou a agência.

Ele cruzou, no térreo, com o inspetor-chefe Hédouin, que havia recebido Alphonse Audigrand no dia anterior e que perguntou, confuso:

– Como, você já está aqui, Victor? Você viu a amante do Audigrand, a senhorita Ernestine?

– Sim, tudo certo.

Sem se demorar mais, pegou um táxi e chegou a tempo para o embarque do trem das seis horas. À primeira vista, já sentado dentro do vagão, constatou que nenhuma mulher usava um suéter verde-limão.

O trem partiu.

Todos os viajantes ao seu redor liam os jornais. Ao seu lado, dois deles conversavam sobre o envelope pardo e o caso das apólices, e ele novamente se deu conta de quanto os pormenores já eram conhecidos.

"Em quinze minutos, chegaremos à Saint-Cloud", soou a voz metálica da anunciante das estações. Imediatamente, Victor falou com o chefe da estação, e a saída dos viajantes foi monitorada.

O trem estava cheio. Quando uma mulher ruiva, cujo suéter verde-limão aparecia por entre as abas de um casaco cinza, quis sair, com seu passe nas mãos, Victor lhe sussurrou:

– Venha comigo, senhora... Polícia judiciária.

A mulher deu um sobressalto, murmurou algumas palavras, e acompanhou o inspetor, junto ao chefe de estação que a fez entrar em seu escritório.

– A senhora é funcionária da Agência Comercial de Química – disse Victor – e, por engano, pegou um envelope pardo que a datilógrafa Ernestine havia deixado perto da máquina de escrever dela...

– Eu? – indagou ela, bastante calma. – Há algum engano, cavalheiro.

– Seremos obrigados a...

– Me revistar? Por que não? Fico ao seu dispor.

Ela demonstrava tanta confiança que ele hesitou. Mas, por outro lado, não teria ela se defendido se fosse inocente? A mulher foi convidada a passar para uma sala adjacente acompanhada de um funcionário da estação.

O envelope pardo não foi encontrado com ela e, portanto, nenhuma apólice do governo.

Victor não se abateu.

– Dê-me seu endereço – disse ele em tom severo.

Um outro trem chegava de Paris. O inspetor-chefe, Hédouin, desceu rapidamente e deu de cara com Victor, que contou tranquilamente:

– A senhora Chassain teve tempo para colocar o envelope em segurança. Se não tivéssemos conversado ontem à noite, no Comando Geral da Polícia, na frente dos jornalistas, o público não teria sabido da existência desse envelope pardo contendo uma fortuna; a senhora Chassain não teria tido a ideia de roubá-lo; e eu o teria pego dentro do corpete de Ernestine. Tudo isso aconteceu porque você expôs uma investigação policial em praça pública.

Hédouin contestou, mas Victor arrematou:

– Faço um resumo. Audigrand, Ernestine, Chassain... em vinte e quatro horas, três possíveis ladrões da fortuna foram eliminados do caso... Vamos ao quarto!

Um trem partia para Paris. Victor ocupou seu assento, deixando seu superior, o inspetor-chefe Hédouin, intrigadíssimo na plataforma.

3

Desde a manhã de terça-feira, Victor, sempre apertado em sua casaca, que mais parecia uma antiga túnica militar, pegou seu carro, um modesto modelo conversível de quatro assentos, e começou uma investigação meticulosa em Saint-Cloud.

Ele baseou-se no raciocínio de que a senhora Chassain, de posse do envelope pardo, na véspera da segunda-feira, das cinco e quarenta às seis e quinze, não poderia depositar um objeto dessa importância, em um lugar ao acaso. Logicamente ela o repassou a alguém. Onde ela poderia ter encontrado esse alguém, senão durante a viagem de Paris a Saint-Cloud? A investigação tinha, portanto, que se centrar nas pessoas que fizeram essa viagem, no mesmo compartimento que ela, e em particular naquelas com quem a senhora Chassain mantinha uma relação de confiança.

A senhora Chassain, com quem Victor foi ter, e que foi ter inutilmente, diga-se de passagem, morava com a mãe havia um ano, desde que ela instaurara um processo de divórcio contra o marido, ferragista em Pontoise. Ambas, que gozavam de excelente reputação, admitiam em sua intimidade apenas três velhos amigos, e nenhum deles havia estado em Paris na véspera. Por outro lado, o aspecto austero da senhora Chassain não permitia qualquer suspeita de sua conduta.

Na quarta-feira, as investigações de Victor não foram melhores, e isso se tornava preocupante. O ladrão de número quatro, impelido a ser cauteloso pelo exemplo de seus três predecessores, tivera todo o tempo necessário para tomar suas precauções.

Na quinta-feira, ele se hospedou em um pequeno café em Garches, bairro vizinho a Saint-Cloud, no Café des Sports, e a partir daí passava o dia todo percorrendo os arredores, em Ville-d'Avray, em Marnes-la-Coquette, em Sèvres. À noite, ele voltou para jantar no Café des Sports, situado em frente à estação de Garches, na autoestrada que ligava Saint-Cloud a Vaucresson.

Às nove horas, foi surpreendido pela chegada inesperada do inspetor-chefe Hédouin, que lhe disse:

– Enfim! Estou procurando-o desde essa manhã aqui no distrito. O diretor está furioso com você. Você não deu nenhum sinal de vida. Que diabos, use o telefone! Por onde andou? Descobriu algo?

– E você, descobriu algo? – sussurrou Victor suavemente.

– Nada.

Victor pediu dois drinques, bebericou lentamente um copo de curaçao e disse:

– A senhora Chassain tem um amante.

Hédouin deu um pulo.

– Você é louco! Com a cara que ela tem?

– Mãe e filha fazem longas caminhadas todos os domingos, e foram vistas, no penúltimo domingo de abril, no bosque de Fausses-Reposes, na companhia de um cavalheiro. Oito dias depois, ou seja, duas semanas atrás, os três foram vistos pelas bandas de Vaucresson, fazendo um lanche ao pé de uma árvore. Um tal de senhor Lescot, que ocupa um pavilhão chamado La Bicoque, acima de Garches, não muito longe do bosque de Saint-Cucufa. Eu pude vê-lo, por cima das cercas vivas de seu jardim. Cinquenta e cinco anos, insignificante, cavanhaque cinza.

– Como informação, ainda é pouco.

– Um de seus vizinhos, o senhor Vaillant, funcionário da estação, pode me fornecer outras mais precisas. Ele levou sua esposa, essa noite, a Versalhes, para visitar um parente doente. Estou esperando por ele.

Eles aguardaram por horas, sem pronunciar uma palavra. Victor não tinha um espírito comunicativo e chegou até a dormir. Hédouin fumava sem parar.

Finalmente, à meia-noite e meia, o funcionário da estação retornou, e imediatamente exclamou:

– O padre Lescot! Sim, eu o conheço! Não moramos nem a cem metros de distância um do outro. Um solitário que cuida apenas do seu jardim. Às vezes, tarde da noite, uma senhora adentra em seu pavilhão, onde dificilmente fica por mais de uma ou duas horas. Já ele nunca sai, exceto aos domingos para passear, e uma vez por semana para ir a Paris.

– Qual dia?

– Normalmente na segunda-feira.

– Então, na segunda-feira passada…

– Ele foi para lá, eu me lembro. Fui eu quem recolheu sua passagem, na volta.

– A que horas?

– Sempre o mesmo trem que chega a Garches às seis e dezenove da tarde.

Silêncio. Os dois policiais se entreolharam. Hédouin perguntou:

– O senhor o viu desde então?

– Não eu, mas minha esposa, que entrega pães, o viu. Mas ela me contou que nas duas últimas noites, de terça e de quarta-feira, enquanto eu estava de serviço...

– O que ela lhe contou?

– Parece que alguém esteve rondando o La Bicoque. O padre Lescot tem um velho cachorro que não parou de rosnar desde sua casinha. Minha esposa tem certeza de que era a sombra de um homem que usava um boné... um boné cinza.

– Ela o reconheceu?

– Sim, ela acredita que sim...

– Sua esposa está em Versalhes, não é?

– Até amanhã.

Terminada a declaração, Vaillant se retirou. Depois de um ou dois minutos, o inspetor-chefe concluiu:

– Visitaremos o padre Lescot logo amanhã cedo. Caso contrário, arriscamos que o quarto ladrão seja roubado.

– Até lá...

– Vamos dar a volta no pavilhão.

Caminharam em silêncio pelas vielas desertas que ascendiam ao platô, seguindo por uma estrada ladeada de pequenos casarões. A luz das estrelas despencava de um céu limpo, em uma noite amena e tranquila.

– É aqui – disse Victor.

Primeiro havia uma cerca viva, depois uma mureta coberta por uma cerca de arames, através da qual, do outro lado de um gramado, era possível distinguir um pavilhão de apenas dois andares, onde três janelas se alinhavam.

– Parece que a luz está acesa – sussurrou Victor.

– Sim, no primeiro andar, na janela do meio. As cortinas devem estar mal fechadas.

Então uma outra luz, mais intensa, acendeu à direita, apagou-se, reacendeu.

– É estranho – disse Victor –, o cachorro não latiu, apesar da nossa presença. Contudo, vejo sua casinha aqui bem perto.

– Talvez o tenham assustado.

– Quem?

– O sujeito que rondava a casa ontem e anteontem.

– Então, o golpe estaria marcado para esta noite... Vamos dar a volta no jardim... tem uma passagem por ali...

– Ouça!

Victor prestou atenção.

– Sim... gritaram lá de dentro!

E, de repente, ouviram-se mais gritos abafados, mas claramente audíveis, seguidos de um estrondo, que devia vir do aposento iluminado, e mais gritos.

Com o apoio dos ombros, Victor derrubou o portão de entrada. Os dois homens atravessaram o gramado e cruzaram a sacada de uma janela, que precisou apenas ser empurrada. Victor escalou o primeiro andar, com sua lanterna na mão.

No segundo andar havia duas portas. Ele abriu a que estava à sua frente e, sob a luz da lâmpada, viu um corpo estendido que parecia sofrer uma convulsão.

Victor viu um homem que fugia pelo aposento vizinho e correu atrás dele, enquanto Hédouin monitorava a segunda porta do patamar superior da escadaria, e o choque aconteceu ali mesmo, entre o homem e o inspetor-chefe. Agora, ao passar para o segundo aposento, Victor avistou uma mulher que acabava de saltar de uma janela aberta, da parte posterior da casa, e que ia descendo, sem dúvida, por uma escada posta ali providencialmente. Lançou sobre ela um jato de luz e reconheceu a mulher de cabelos alaranjados do Cine Balthazar. Ele ia por sua vez saltar, quando o chamado do inspetor-chefe o interrompeu. E, imediatamente, ouviu-se um segundo estrondo, seguido de gemidos.

Ele chegou ao patamar superior da escadaria a tempo de amparar Hédouin, que desfalecia. O homem que atirou já estava no andar de baixo.

– Corra atrás dele – gemeu o inspetor-chefe. – Não tenho nada... apenas meu ombro está ferido.

– Então, se você não sofreu nada, solte-me! – gritou Victor furioso, enquanto tentava em vão se livrar do colega.

O inspetor-chefe agarrava-se nele para não cair. Victor o arrastou até o sofá do primeiro quarto, deitou-o ali mesmo e, desistindo de perseguir os dois fugitivos, agora fora de alcance, ajoelhou-se diante do homem estendido no chão. Era o padre Lescot, que já não se mexia mais.

– Ele está morto – disse Victor, após um rápido exame. – Sim, ele está morto.

– Maldito caso! – murmurou Hédouin. – E o envelope pardo? Reviste-o.

Victor já o revistava.

– Há um envelope pardo, mas está amassado e vazio. Podemos supor que o padre Lescot pegou as apólices, que as manteve guardadas em separado e que foi forçado a entregá-las.

– Nenhuma inscrição no envelope?

– Não, mas o símbolo da empresa é visível pela marca d'água Papelaria Goussot, Estrasburgo. – E concluiu, enquanto cuidava do colega. – Chegamos lá! Foi no banco de Estrasburgo onde o primeiro roubo foi cometido.

E aqui estamos nós com o quinto ladrão e, dessa vez, é um sujeito muito audacioso. Diabos! Se o número um, dois, três e quatro agiram sem habilidade, o número cinco vai nos dar muito trabalho.

E pensou na admirável criatura que ele havia surpreendido, envolvida no crime. O que ela fazia aqui? Que papel ela desempenhava na trama?

O BONÉ CINZA

1

O funcionário da estação e dois vizinhos, acordados pelo barulho, vieram correndo. Um deles tinha telefone em casa. Victor ordenou que ele avisasse a delegacia de Saint-Cloud. O outro foi buscar um médico, que só podia constatar a morte do padre Lescot, atingido por uma bala na região do coração. Hédouin, cujo ferimento não era grave, foi transportado para Paris.

Quando o comissário de Saint-Cloud chegou com seus agentes, Victor, que havia tomado enorme cuidado para que nada fosse alterado, colocou-o a par da tragédia. Ambos decidiram que era melhor esperar até o amanhecer para encontrar os vestígios deixados pelos dois cúmplices. Victor voltou para casa, em Paris.

Ele se reapresentou, às nove horas, para ter notícias. Encontrou o La Bicoque rodeado por uma multidão de curiosos, mantidos a distância pelos policiais. No jardim por onde ele havia entrado, e já dentro da casa, inspetores e gendarmes se mobilizavam. A chegada do Ministério Público de Versalhes foi notada, mas assegurou-se de que havia uma contraordem vinda de Paris para que a instrução fosse reservada ao Ministério Público do Sena.

Seja pela conversa que tivera com o comissário de Saint-Cloud, seja por meio de suas próprias investigações, Victor chegou a tristes certezas porque, em suma, o caso permanecia obscuro. Não encontraram nenhuma indicação do homem que havia fugido escada abaixo, nem da mulher que escapara pela janela.

O local por onde a mulher havia atravessado a cerca viva para ganhar a travessa paralela à estrada foi descoberto. Também foram descobertas as impressões digitais deixadas pelos que usaram a escada, no primeiro andar. Mas a escada, que deveria ser feita de ferro, dobrável e portátil, não foi encontrada. E não se sabia ainda como os dois cúmplices se reencontraram nem como deixaram a região. No máximo, seria possível afirmar que um carro estivera estacionado, a partir da meia-noite, trezentos metros mais adiante, ao longo do Haras de La Celle-Saint-Cloud, e que novamente deu a partida à uma e quinze, obviamente para voltar a Paris, via Bougival e às margens do Sena.

O cachorro do padre Lescot foi encontrado envenenado, morto em sua casinha. Nenhum vestígio de pegadas pelas pedras do jardim.

A bala extraída do cadáver, assim como a do ombro do inspetor Hédouin, provinha de um revólver Browning, calibre 7,65mm. Mas o que teria acontecido com o revólver?

Fora esses incidentes, nada. Victor não se demorou depois que jornalistas e fotógrafos começaram a entrar em campo, pois detestava trabalhar acompanhado e de perder tempo, como dizia, com "troca de hipóteses". Só lhe interessava a psicologia do caso, e o que ela exigia de reflexão e de inteligência. Quanto ao resto, abordagens, perícias, perseguições, ficar na espreita de um suspeito, ele fazia a contragosto e sempre sozinho, diríamos mesmo, por conta própria.

Ele passou na casa do funcionário da estação, Vaillant, cuja esposa, voltando de Versalhes, alegou não saber de nada e de não ter reconhecido o indivíduo que rondava o La Bicoque, nas noites anteriores. Mas Vaillant, que voltava do serviço, juntou-se a ele na frente da estação, e aceitou o convite para entrar no Café des Sports.

– Veja – disse ele, assim que a bebida desatou sua língua. – Minha esposa Gertrude entra nas residências como entregadora de pães; se ela tagarelar demais, pode se dar mal. Comigo, é diferente; como ferroviário, como funcionário, devo ajudar a Justiça.

– E daí?

– Daí que – disse Vaillant, baixando o tom – aqui está, em primeiro lugar, o boné cinza de que ela me falou. Eu o apanhei debaixo das urtigas de um depósito de lixo que eu limpava essa manhã, em um cantinho do meu cercado. O sujeito, ao fugir naquela noite, jogou-o por acaso, por cima da minha cerca viva.

– E depois?

– E depois a Gertrude tem certeza de que o sujeito que esteve na casa na terça-feira à noite, o do boné cinza, é o mesmo cavalheiro para o qual ela entrega o pão todos os dias... um homem da alta.

– O nome dele?

– Barão Maxime d'Autrey. Aqui, incline-se para a esquerda... a casa... a única casa alugada na estrada para Saint-Cloud... a uns quinhentos metros daqui. Ele ocupa o quarto andar com sua esposa e sua velha empregada. Ótimas pessoas, um pouco orgulhosas talvez, mas tão boas que me pergunto se Gertrude não se enganou.

– Ele vive de renda?

– De jeito nenhum! Ele comercializa champagne. Todos os dias ele vai a Paris.

– E a que horas volta?

– No trem das seis, que chega aqui às sete.

– Na última segunda-feira, ele voltou nesse trem?

– Sim. Não posso dizer o mesmo por ontem, porque eu acompanhava minha esposa.

Victor calou-se e, organizando as informações, pensou na história. "Na segunda-feira, a senhora Chassain retorna de Paris, no trem das seis horas e, na cabine, senta-se perto do padre Lescot. Normalmente, estando em processo de divórcio, ela se abstém de falar com seu amante quando não está com sua mãe. Naquela segunda-feira, ela rouba o envelope pardo; calmamente, ela o previne de que ele se encarregue de escondê-lo em um lugar que lhe indica e, devagar, passa o envelope, o qual talvez tenha tido tempo de enrolar e de amarrar. Este gesto surpreende o barão d'Autrey, que está no vagão. Ele leu os jornais. Um envelope pardo... por acaso não seria?...

A senhora Chassain salta em Saint-Cloud. O padre Lescot segue para Garches. Maxime d'Autrey, que também desce nessa estação, segue o cavalheiro, localiza sua casa, faz a ronda na terça e na quarta-feira ao redor do La Bicoque, e, na quinta, decide..."

"Um único detalhe", pensou Victor, após deixar seu companheiro e se dirigir ao prédio designado. "Tudo se encaixa perfeitamente bem, e rápido demais. Mas a verdade nunca aparece de forma tão espontânea e nunca tem essa aparência simples e natural."

2

Victor subiu ao quarto andar e tocou a campainha. Uma velha empregada, de óculos e de cabelos brancos, abriu-a e, sem perguntar seu nome, conduziu-o à sala.

– Entregue-lhe o meu cartão – disse ele simplesmente.

No cômodo, que também servia de sala de jantar, via-se apenas uma mesa, cadeiras, um bufê e uma mesa de pedestal, todos de aparência modesta, mas de cintilante limpeza. Livros e brochuras de propaganda religiosa, com imagens de piedosa devoção ilustradas nas paredes da lareira. Pela janela, uma vista encantadora do parque Saint-Cloud.

Apareceu uma senhora com ar surpreso, ainda jovem, corada, sem pó de arroz, de aspecto antiquado, busto farto, penteado excêntrico e roupão desbotado. Apesar de tudo, o conjunto não teria sido de todo desagradável, se não fosse uma expressão deliberadamente altiva e uma forma de se portar que devia ser, em sua opinião, a de uma baronesa.

Ela foi breve. Firme, com voz distante:

– O senhor deseja?

– Gostaria de falar com o barão d'Autrey a respeito de alguns fatos ocorridos na segunda-feira à noite, no trem.

– Trata-se, decerto, do roubo do envelope pardo que lemos nos jornais?

– Sim. Esse roubo resultou em um assassinato cometido ontem à noite em Garches, cuja vítima é um cavalheiro chamado Lescot.

– Senhor Lescot? – ela repetiu com apatia – Não faço ideia... Existem suspeitas?

– Nenhuma, até agora. Mas sou o encarregado de interrogar as pessoas que viajaram na segunda-feira, de Paris a Garches, no mesmo trem das seis horas. E como o barão d'Autrey...

– Meu marido poderá lhe responder depois, pessoalmente, cavalheiro. Ele está em Paris.

Ela esperou que Victor se retirasse, mas ele continuou:

– O senhor d'Autrey sai, de vez em quando, após o jantar?

– Raramente.

– No entanto, terça e quarta-feira...

– Com efeito, nesses dois dias, ele saiu para dar uma volta porque estava com dor de cabeça.

– E ontem à noite, quinta-feira?

– Ontem à noite, os negócios o detiveram em Paris...

– Então ele dormiu em Paris?

– Não, ele voltou para casa.

– A que horas?

– Eu estava deitada, mas lembro de ouvir o relógio bater onze horas, logo após o retorno dele.

– Onze horas? Então, duas horas antes do crime.

– O que o senhor está insinuando?

A baronesa, que até então havia respondido com automaticidade, com brusca polidez, teve um súbito pressentimento do que estava acontecendo. Olhou para o cartão de visitas "Victor, da Brigada Anticrime" e respondeu grosseiramente, mas ainda atordoada:

– Tenho o costume de só afirmar o que sei.

– A senhora chegou a trocar algumas palavras com ele?

– Sim, algumas.

– Então a senhora estava bem desperta?

Ela corou, como se tomada por algum pudor, e não respondeu. Victor continuou:

– A que horas o barão d'Autrey saiu esta manhã?

– Eu abri os olhos quando a porta da entrada se fechou. O relógio marcava seis e dez.

– Ele não se despediu da senhora?

Desta vez, ela se irritou.

– Isso é um interrogatório?

– Nossa investigação às vezes nos obriga a uma certa indiscrição. Uma última pergunta. – Ele tirou o boné cinza do bolso. – A senhora acha que isso pertence ao senhor d'Autrey?

– Sim – disse ela, examinando o objeto. – É um boné velho, que ele não usa há anos e que eu guardei no fundo de uma gaveta.

Com que naturalidade ela deu essa resposta tão prejudicial ao marido! Mas, por outro lado, essa boa-fé não indicava que, em pontos essenciais, ela não estava realmente mentindo?

Victor despediu-se, desculpando-se pelo transtorno e anunciando seu retorno para o final do dia.

Sua investigação junto à zeladora, que morava no prédio, confirmou as respostas da senhora d'Autrey. O barão tocara, por volta das onze horas da noite, pedindo pela cordinha para entrar, e batera à porta por volta das seis da manhã, para ir embora. Durante a noite, ninguém ficava perambulando de cá para lá; como havia apenas três apartamentos alugados, e os demais inquilinos nunca saíam à noite, o controle era fácil.

– Alguém, além de você, consegue abrir a porta?

– Não. Seria preciso entrar em meu apartamento, mas eu o tranco à chave e com o trinco.

– A senhora d'Autrey sai eventualmente pela manhã?

– Nunca. É Anna, sua velha empregada, quem faz o mercado. Lá vem ela pela escada de serviço.

– Existe algum telefone na casa?

– Não.

Victor saiu perplexo, dividido entre ideias contraditórias. Ao fim, fossem quais fossem as acusações contra o barão, era impossível duvidar do álibi das circunstâncias a seu favor: na hora do crime, ele estava com sua esposa.

Após o almoço e já na estação, ele perguntou:

– O barão d'Autrey, cuja presença é invariavelmente percebida quando há pouca circulação de passageiros, pegou um dos primeiros trens desta manhã?

A resposta foi unânime e categórica:

– Não!

Então, como ele saíra de Garches?

Durante toda a tarde, Victor recolheu informações sobre o casal d'Autrey com comerciantes, com o farmacêutico, as autoridades, os funcionários dos correios. Esta excursão, quando notou a pouca simpatia com que o recebiam, conduziu-o inevitavelmente ao proprietário da residência, senhor Gustave Géraume, vereador e mercador de madeira e carvão, cujas brigas com o barão e a baronesa divertiam o país.

O senhor e a senhora Géraume possuíam um belo casarão, também no platô da cidade. Já na entrada, Victor sentiu a bonança e a riqueza, mas notou discórdia e inquietação. Após se embrenhar pelo vestíbulo, depois de tocar a campainha em vão, ele ouviu o som de uma querela no segundo andar, o bater de portas, uma voz entediada e sem agrura de homem, e uma voz estridente e furiosa de mulher, que gritava:

– Você é apenas um bêbado! Sim, você! O senhor Gustave Géraume, vereador, é um bêbado! O que você fez ontem à noite, em Paris?

– Você sabe bem, minha pequena, estive em um jantar de negócios com Devalle.

– E com as meretrizes, é claro! Eu conheço o Devalle, um farrista! E depois do jantar, o cabaré Folies-Bergère, hein? Mulheres nuas? Muita dança e muito champanhe?

– Você está louca, Henriette! Repito que levei o Devalle de carro para Suresnes.

– A que horas?

– Eu não saberia dizer...

– Claro, você estava bêbado. Mas deviam ser três ou quatro da manhã. Você tira proveito de que eu estou dormindo...

A discussão descambou em batalha, o senhor Géraume dirigiu-se até a escada e tombou, perseguido por sua esposa, e encontrou o visitante que o esperava no vestíbulo, que imediatamente se desculpou:

– Toquei a campainha... Ninguém atendeu, eu me permiti...

Gustave Géraume, um belo homem de cerca de quarenta anos, de tez viçosa, começou a rir:

– O senhor ouviu tudo? Uma pequena cena doméstica, sem nenhuma importância. Henriette é a melhor das mulheres... Mas venha ao meu escritório. A quem eu devo a honra?

– Inspetor Victor, da Brigada Anticrime.

– Ah! A história do coitado do padre Lescot?

– Vim mais para saber sobre o seu inquilino – explicou Victor –, o barão d'Autrey. Como andam os termos entre os senhores?

– Andam muito ruins. Minha esposa e eu ocupamos, durante dez anos, o apartamento que agora alugamos para eles. É sempre um dilúvio de reclamações, aporrinhações, execuções de oficial de justiça... e sempre por besteira, por exemplo, por uma segunda chave do apartamento que eu lhes confiei e que eles afirmam não terem recebido! Em suma, apenas bobagens.

– E, no final, a briga – disse Victor.

– Então, o senhor sabe? Na verdade, sim, a briga – disse rindo o senhor Géraume. – Levei um soco no nariz, dado pela baronesa, de que ela se arrepende, tenho certeza.

– Ela lá se arrepende de algo! – exclamou a senhora Géraume. – Essa megera é uma mulher cruel, que passa o tempo todo na igreja! Quanto a ele, senhor inspetor, um sem-vergonha, um falido, que não paga o aluguel e que é capaz de tudo.

Ela tinha um rosto bonito, afável e simpático, mas com uma voz cortante, feita para a raiva e para os insultos. Além do mais, seu marido tinha de lhe dar razão, ainda mais se somarmos outros componentes deploráveis: bancarrota em Grenoble, histórias sórdidas em Lyon, todo um pesado passado de fraude e de desonestidade.

Victor não insistiu. Por trás dele, ouviu a querela se reanimando, e a voz da mulher que se esgoelava:

– Onde você estava? Que diabos você fez? Cale a boca, seu porco mentiroso!

No final da tarde, Victor instalou-se no Café des Sports, deu uma folheada rápida nos jornais e não encontrou nada de especial. Mais tarde, porém, trouxeram-lhe um senhor e uma senhora de Garches que haviam chegado de Paris e que afirmavam terem visto o barão d'Autrey dentro de um táxi com uma jovem, nas proximidades da Gare du Nord. No banco, perto do motorista, duas malas. "Seria essa uma certeza?" Victor sabia melhor do que ninguém o quão incertos são esses tipos de testemunhos.

"De qualquer maneira", pensou, "o dilema é simples. Ou bem o barão fugiu para a Bélgica com as apólices e com uma mulher que poderia ser a bela criatura que eu revi no enquadramento da janela do padre Lescot. Ou bem houve um engano, e ele chegará aqui dentro de instantes em seu trem habitual. E então, apesar de todas as aparências, a pista é falsa."

Na estação, Victor encontrou Vaillant perto da saída dos passageiros. O trem foi avistado, logo depois de contornar a curva. Cerca de trinta passageiros desceram.

Vaillant cutucou Victor, murmurando:

– Aquele que está vindo, de sobretudo cinza-escuro, com chapéu de feltro... é o barão.

3

Victor não teve uma má impressão. A atitude do barão não denunciava o menor melindre, e seu rosto tranquilo, descansado, não era o de um homem que havia matado alguém dezoito horas antes, e que é atormentado pela memória, pela angústia do que vai fazer e pelo pavor do que pode acontecer. Era a figura de um cavalheiro que desempenha, com normalidade, seu trabalho cotidiano. Ele cumprimentou o funcionário acenando com a cabeça e caminhou pela via da direita, em direção à sua casa. Tinha nas mãos um jornal dobrado, com o qual batia, distraidamente, ao passar, nas barras de ferro dos portões.

Victor, que o seguia a uma certa distância, acelerou o passo e chegou ao prédio quase ao mesmo tempo que ele. Na altura do quarto andar, enquanto o outro pegava as chaves, ele lhe disse:

– Barão d'Autrey, não é?

– O senhor deseja?

– Alguns minutos de conversa... Inspetor Victor, da Brigada Anticrime.

Sem dúvida, isso lhe provocou um impacto, uma desavença, uma má vontade. As mandíbulas se contraíram. Foi rápido porque, afinal, essa pode ser uma reação natural nas pessoas mais honestas quando se tem a visita inesperada da polícia.

A senhora d'Autrey bordava perto da janela da sala de jantar. Percebendo a presença de Victor, ela se levantou de supetão.

– Deixe-nos a sós, Gabrielle – disse o marido, depois de beijá-la.

Victor disse:

– Tive a oportunidade de estar com a sua senhora essa manhã, e a nossa conversa só tem a ganhar com a presença dela.

– Ah! – concordou simplesmente o barão, que já não parecia mais surpreso. E continuou, apontando para o jornal: – Acabei de ler o seu nome, senhor inspetor, e, tendo em vista a investigação que o senhor está fazendo, suponho que deseja me interrogar enquanto usuário habitual da linha e, portanto, familiarizado com o trem das seis horas? Posso dizer de pronto que não me lembro mais com quem estive na segunda-feira passada e que não notei nenhum comportamento suspeito, nem nenhum envelope pardo.

A senhora d'Autrey interveio, com uma voz mal-humorada:

– O senhor inspetor é mais exigente do que isso, Maxime. Ele gostaria de saber onde você estava naquela noite, enquanto um crime era cometido no platô de Garches.

O barão sobressaltou-se:

– O que isso significa?

Victor mostrou o boné cinza:

– Eis aqui o boné que o agressor usava e que jogou em um cercado vizinho. Esta manhã, a senhora d'Autrey me disse que ele lhe pertence.

D'Autrey retificou:

– Me pertencia, melhor dizendo. Ele estava no armário da antessala, não estava, Gabrielle? – perguntou à esposa.

– Sim, eu o guardei por lá já faz umas duas semanas.

– E faz uma semana que o coloquei na caixa de compostagem, junto com um velho cachecol comido por traças. Um vagabundo deve tê-lo apanhado. E, em seguida, senhor inspetor?

– Terça e quarta-feira à noite, na mesma hora em que o senhor saiu, vimos o homem que usava esse boné rondando em torno do La Bicoque.

– Eu estava com dor de cabeça, andei por aí, mas não peguei essa direção.

– Andou por onde?

– Pela autoestrada de Saint-Cloud.

– O senhor avistou alguém?

– Provavelmente, mas não prestei atenção.

– E ontem à noite, quinta-feira, a que horas o senhor chegou em casa?

– Às onze horas, eu jantei em Paris. Quando cheguei minha esposa dormia.

– De acordo com ela, vocês trocaram algumas palavras.

– Tem certeza, Gabrielle? Não me lembro mais.

– Sim, sim – disse ela, aproximando-se dele. – Lembre-se... não há vergonha alguma em dizer que você me beijou. Só peço que não responda mais nada a esse cavalheiro. É tudo tão inconcebível, tão estúpido!

Seu rosto enrijeceu, e suas bochechas coradas e pesadas ficaram ainda mais ruborizadas.

– Este senhor está apenas cumprindo o dever dele, Gabrielle – disse o barão. – Não tenho motivo nenhum para não o ajudar. Devo precisar a hora da minha partida esta manhã, senhor inspetor? Eram cerca de seis horas.

– O senhor pegou o trem?

– Sim.

– No entanto, nenhum dos funcionários o viu.

– O trem tinha acabado de passar. Nesse caso, costumo ir até a estação de Sèvres, que fica a vinte e cinco minutos de distância. Meu passe de trem me dá esse direito.

– O senhor é conhecido por lá?

– Menos do que aqui, e também há muito mais passageiros por lá. Eu estava sozinho na minha cabine.

Ele respondia sem hesitação, com rapidez. Suas respostas eram precisas e constituíam um sistema de defesa tão lógico que era difícil não as aceitar, pelo menos agora, como a própria expressão da verdade.

– O senhor poderia vir comigo a Paris amanhã? – perguntou Victor. – Lá poderemos encontrar as pessoas com as quais o senhor jantou na noite passada, e com as pessoas que viu hoje.

Mal terminando a frase, Gabrielle d'Autrey se dirigiu para perto dele, com o rosto transtornado de indignação. Ele lembrou-se do soco que o senhor Géraume levou e teve vontade de rir, já que a senhora mantinha um ar teatral. Ela se conteve. Seu braço estendeu-se em direção à parede, onde pendia uma imagem sagrada, e continuou:

– Juro pela minha salvação eterna...

Mas a ideia de um juramento estar ligado a ataques tão desprezíveis, deve ter-lhe parecido impróprio. Fez um sinal-da-cruz, murmurou algumas palavras, beijou o marido com ternura e compaixão, e saiu.

Os dois homens permaneceram em pé, frente a frente. O barão ficou em silêncio, e Victor ficou surpreso ao descobrir que a bela aparência de seu rosto, calmo e descansado, não era natural. Ele usava pó compacto nas bochechas, de tom vermelho-arroxeado, assim como muitas mulheres, e o inspetor imediatamente percebeu a extraordinária lassidão de suas olheiras e dos cantos tombados de sua boca. Uma transformação repentina que parecia piorar a cada segundo!

– O senhor inspetor está no caminho errado – disse-lhe com seriedade. –Acontece que a sua investigação, recorrendo a um contra-ataque injusto, invade minha vida secreta e me obriga a fazer uma confissão dolorosa. Fora a minha esposa, por quem sinto especial afeto e respeito, mantenho um caso, há vários meses, em Paris. Foi com essa jovem que jantei ontem à noite. Ela me levou até a Gare Saint-Lazare e eu, essa manhã, a reencontrei às sete horas.

– Leve-me até a casa dela amanhã – Victor ordenou. – Venho buscá-lo de carro.

O barão hesitou, mas no final respondeu:

– Que seja.

Esse depoimento deixou Victor incerto, sujeito a sucessivos sentimentos e raciocínios que não correspondiam a uma verdade incontestável.

Naquela noite de sexta-feira, ele fez um acordo com um agente de Saint-Cloud para vigiar a casa até o meio da madrugada. Nada de suspeito aconteceu.

A AMANTE DO BARÃO

1

Entre Garches e Paris, fez-se um silêncio de vinte minutos, e talvez tenha sido esse silêncio, essa calma, que tenham pesado ainda mais sobre as suspeitas de Victor. A tranquilidade do barão não o impressionava mais, desde o momento em que percebera sua maquiagem, na véspera. Ele constatou que o vermelho havia sumido, mas todo o rosto, com as bochechas cavadas e a tez amarelada, revelava uma noite de insônia e de agitação.

– Qual bairro? – perguntou Victor.

– Na Rua de Vaugirard, perto dos Jardins de Luxemburgo.

– Nome?

– Élise Masson. Ela era figurante do cabaré Folies-Bergère. Eu a amparei, e ela me é muito grata pelo que fiz! Ela sofre de uma doença pulmonar.

– Ela dá muitas despesas?

– Não muito. Ela é tão simples! Eu acabo trabalhando menos.

– De tal forma que isso faz com que o senhor não tenha mais o suficiente para pagar suas contas.

Eles se calaram. Victor pensou na amante do barão e foi invadido por uma violenta curiosidade. Seria ela a mulher do cinema? A assassina do La Bicoque?

Na estreita Rua de Vaugirard, tomava espaço um edifício grande e antigo, com pequenos apartamentos. No terceiro andar, ao lado esquerdo, o barão tocou a campainha e bateu à porta.

Uma jovem a abriu rapidamente, com os braços estendidos, e logo Victor percebeu que não se tratava de quem ele esperava.

– Finalmente você chegou! – ela o cumprimentou. – Mas vejo que você não está sozinho. Um de seus amigos?

– Não – disse ele. – Esse cavalheiro é da polícia. Estão buscando informações sobre o caso das apólices, no qual estou envolvido por mera coincidência.

Foi apenas no pequeno quarto, para onde ela os conduziu, que Victor pôde observá-la. Ela tinha um rosto abatido, com enormes olhos azuis, cabelos castanhos desordenadamente cacheados, e as maçãs do rosto reluzindo em vermelho, o mesmo vermelho-arroxeado que ele notara nas bochechas do barão, na véspera. Estava vestida com um roupão, e em volta do pescoço, amarrado casualmente, ela usava um lenço laranja, com grandes bolas verdes.

– Simples formalidade, senhorita – disse Victor. – Algumas perguntas... A senhorita viu o senhor d'Autrey anteontem, quinta-feira?

– Anteontem? Vejamos, deixe-me pensar... Ah! Sim, ele veio almoçar e jantar, e eu o acompanhei à noite até a estação.

– E ontem, sexta-feira?

– Ontem ele veio às sete da manhã e não saímos desse quarto antes das quatro horas. Depois fomos dar nosso habitual passeio, bem calmamente.

Pelo modo como falava, Victor se convenceu de que todas essas respostas haviam sido previamente combinadas. Mas a verdade não pode ser dita no mesmo tom que a mentira?

Ele percorreu o apartamento, que compreendia apenas um banheiro mal decorado, uma cozinha e um armário, de onde viu, depois de afastar os vestidos, uma bolsa de viagem e uma mala de lona, que parecia exageradamente cheia.

Virando-se bruscamente, ele surpreendeu a troca de olhares entre a jovem e seu amante. E então, abriu a mala.

De um lado, roupa feminina, um par de botinas e dois vestidos; do outro, uma casaca e camisas sociais masculinas. Na bolsa, um pijama, chinelos e um estojo com artigos de higiene pessoal.

– Pretendiam partir? – perguntou ao se virar.

O barão, aproximando-se dele com um olhar implacável, sussurrou:

– Diga, quem foi que lhe deu permissão para vasculhar? Afinal, trata-se de uma busca? Em nome de quê? Onde está o seu mandado?

Victor sentiu o perigo se aproximando, vindo daquele homem cuja exasperação podia ser medida, e em cujo olhar ele viu desenhado o desejo ferino de morte. Tirou o revólver do fundo do bolso e o apontou contra o adversário:

– Vocês foram vistos ontem, perto da Gare du Nord, com suas malas. O senhor foi visto com sua amante.

– Que piada! – exclamou o barão. – Isso é uma piada, já que não peguei o trem e que estou aqui. Deveríamos ser francos... Do que o senhor me acusa? De ter roubado o envelope pardo? Ou até mesmo de... – Ele disse, baixinho: – Ou até mesmo de ter matado o padre Lescot? É isso, não é?

Um grito rouco ecoou. Élise Masson, lívida e ofegante, perguntou:

– O que você está dizendo? Ele o está acusando de ter matado alguém? De matar o sujeito de Garches?

Ele começou a rir:

– Sinceramente, pode-se acreditar que sim! Vamos, senhor inspetor, essa história não pode ser séria... Que diabos, o senhor interrogou minha esposa...

Ele foi se controlando e se desarmando aos poucos. Victor largou o cabo do seu revólver e dirigiu-se para o espaço que servia de antessala, enquanto d'Autrey continuava a rir com sarcasmo:

– Ah, a polícia! É a primeira vez que a vejo em ação. Mas, caramba, ela sempre se atrapalha assim? Vejamos, senhor inspetor, essas malas estão prontas há semanas. Minha pequena e eu sonhávamos em viajar pelo sul da França. Além disso, isso não funciona assim.

A jovem ouviu, fixando seus grandes olhos azuis, e murmurou:

– Ele se atreve a acusá-lo! Um assassino, você?

Nesse momento, Victor foi levado a executar um plano mais preciso: primeiro, separar os dois amantes, depois conduzir o barão ao Comando Geral da Polícia, e em seguida obter um acordo com seus chefes para que uma busca imediata fosse realizada. Essa era uma operação policial que ele próprio não gostava de fazer, mas que julgava indispensável. Se as apólices estivessem lá naquelas malas, nada nesse mundo poderia deixá-las escapar outra vez.

– Espere-me aqui – disse à jovem. – Quanto ao senhor...

Ele apontou para a porta aberta com tanta autoridade que o barão o acompanhou de modo obediente, desceu os três andares e sentou-se no banco de trás do conversível.

Na esquina da rua, um guarda se ocupava do trânsito. Victor apresentou-se e lhe pediu para que não perdesse de vista nem o carro, nem o homem dentro dele. Em seguida, entrou na casa de um comerciante de vinhos, cuja sala ocupava o andar térreo do edifício, e que possuía um telefone nos fundos da loja. Ele pediu para falar com o Comando da Polícia, e teve de esperar muito, antes de conseguir se comunicar com a polícia judiciária.

– Ah, até que enfim! É você, Lefébure? Sou eu, Victor, da Anticrime. Diga-me, Lefébure, é possível enviar sem demora, dois agentes para a esquina da Rua de Vaugirard com a Rua Luxemburgo? Alô?! Fale mais alto, meu velho. O que você disse? Você ligou para mim em Saint-Cloud? Mas eu não estou lá... O que foi? Querem falar comigo? Quem? O diretor?... Justamente, eu ia..., mas primeiro, mande-me já os dois camaradas, hein? Ah, mais um detalhe, Lefébure! Procure averiguar no Departamento de Identificação Judicial se existe alguma ficha em nome da senhorita Élise Masson, ex-figurante do cabaré Folies-Bergère... Élise Masson...

Quinze minutos depois, dois inspetores chegaram de bicicleta. Após explicar que eles deveriam impedir a fuga de Élise Masson, moradora do terceiro andar, de quem ele deu a descrição exata, levou o barão d'Autrey ao Comando Geral da Polícia e o confiou aos colegas.

2

O senhor Gautier, um diretor astuto e muito hábil, que escondia sua acuidade e seu discernimento atrás de uma aparência ingênua, esperava Victor em seu escritório na companhia de um homem pequeno e robusto, velho o bastante, mas de imagem ainda sólida e de imponente aparência. Ele era um dos superiores imediatos de Victor, o comissário Mauléon.

– Então, Victor! – exclamou o diretor – O que significa isso? Já lhe recomendei mil vezes para mantermos contato absoluto, mas você me deixa, por dois dias, sem nenhuma notícia sua. A delegacia de Saint-Cloud age de um lado, meus inspetores de um outro, e você de um terceiro. Sem união. Nada planejado em conjunto.

– Em bom francês – observou Victor sem comoção –, isso significa que o caso das apólices e o crime do La Bicoque não estão progredindo como o senhor planeja, chefe?

– Estão a seu gosto, Victor?

– Não estou desgostoso, mas admito, chefe, que não coloco muita fé nisso. O caso me diverte, mas não me embala. Muito fragmentado, atores de terceira, que agem com dispersão e acumulam erros. Nenhum adversário notável.

— Sendo assim — insinuou o diretor —, passe o caso para outra pessoa. Mauléon não conhece Arsène Lupin, mas já o enfrentou, tem longa experiência com esse tipo e é mais qualificado do que ninguém...

Victor se aproximou do diretor, visivelmente confuso.

— O que está dizendo, chefe? Arsène Lupin? Tem certeza? O senhor tem provas de que ele está envolvido no caso?

— Uma prova cabal. Você sabia que Arsène Lupin foi localizado em Estrasburgo e que estava perto de ser preso? Porém, o envelope pardo, que havia sido confiado ao diretor do banco, que teve a imprudência de trancá-lo na gaveta, encontrava-se, a princípio, no cofre-forte do dono das nove apólices, um industrial de Estrasburgo. Sabemos agora que, no dia seguinte ao depósito do envelope no banco, o cofre dele foi arrombado. Por quem? Os trechos que reunimos de uma carta nos indicam que foi por Arsène Lupin!

— A carta era mesmo dele?

— Sim.

— Endereçada a?

— A uma mulher que parece ser sua amante. Ele disse a ela, entre outras coisas: "Tenho todos os motivos para supor que as apólices, que falhei em roubar, foram levadas do banco por um de seus funcionários, Alphonse Audigrand. Se isso a divertir, encarregue-se de encontrar os passos dele em Paris, onde chegarei no domingo à noite. Além do mais, isso não me interessa agora. Penso apenas no outro caso... aquele dos dez milhões. Este vale a pena o sacrifício! Está em bom caminho..."

— Não tem assinatura?

— Sim. Olhe. Ars. L. — e o senhor Gautier finalizou: — Domingo foi o dia em que você esteve no Cine Balthazar, e onde também estiveram Alphonse Audigrand e sua amante, certo?

— E lá também havia uma outra mulher, chefe! — exclamou Victor. — Uma mulher belíssima, que, sem dúvida, espreitava Audigrand... a mesma que eu vi fugindo à noite, depois do assassinato do padre Lescot.

Victor andava na sala de lá para cá, sem disfarçar uma inquietação espantosa, vinda de um homem sempre tão senhor de seus atos.

— Chefe — disse ele por fim —, quando se trata desse maldito, fico cheio de disposição.

— Você parece execrá-lo.

— Eu? Nunca o vi nem pintado, nem ele também me conhece.

— E então?

— Então — disse, cerrando os dentes — isso não impede de termos contas para acertar. E uma conta pesada! Mas falemos sobre o presente.

E, sem mais delongas, ele listou tudo o que tinha feito no dia anterior e nessa manhã: sua investigação em Garches, sua conversa com o casal d'Autrey e Géraume, e ainda com a senhorita Élise Masson. Dessa última, ele mostrou a ficha que pegou ao passar pelo Departamento de Identificação Judicial.

— Órfã, filha de pai alcoólatra e de mãe tuberculosa. Expulsa do cabaré Folies-Bergère depois de inúmeros roubos cometidos no camarim de seus colegas. Alguns indícios levam a crer que ela trabalha como informante de uma facção internacional. Tuberculosa quase crônica.

Fez-se um silêncio. A reação do senhor Gautier expressava a que ponto ele estava satisfeito com os resultados obtidos por Victor.

— Sua opinião, Mauléon?

— Foi um bom trabalho — elogiou o comissário que, naturalmente, tinha suas reservas. — Um bom trabalho que precisa ser examinado de perto. Se não se importa, eu mesmo retomo o interrogatório do barão.

— Pode retomá-lo sozinho — murmurou Victor com a sua descortesia de sempre. — Espero por você no carro.

– E nos reencontraremos aqui esta noite – concluiu o diretor. – Assim, poderemos fornecer elementos importantes à instrução que o Ministério Público acaba de abrir em Paris.

Ao cabo de uma hora, Mauléon levou o barão de volta para o carro e disse a Victor:

– Nada mais a fazer com esse tratante aqui.

– Vamos até a casa da senhorita Élise Masson? – sugeriu Victor.

O comissário objetou:

– Ora! Ela já está sendo vigiada. A perquirição acontecerá em breve, antes mesmo da nossa chegada. Existem coisas mais urgentes, na minha opinião.

– O que, por exemplo?

– O que fazia, no momento do crime, Gustave Géraume, vereador de Garches e proprietário do apartamento dos d'Autrey? Uma pergunta que a esposa dele se faz, e que eu gostaria de fazer também ao amigo dele, Félix Devalle, corretor de imóveis em Saint-Cloud, cujo endereço acabei de descobrir.

Victor deu de ombros e sentou-se ao volante, perto de Mauléon. D'Autrey e um inspetor ocuparam os assentos traseiros.

Em Saint-Cloud, os dois policiais encontraram Félix Devalle em seu escritório, um moreno bem forte, de barba bem cuidada, e que, mal abrindo a boca, parecia se divertir com a história.

– Ah! Mas o que estão tramando contra o meu amigo Géraume? Já esta manhã, recebi um telefonema de sua esposa e, desde então, duas visitas de jornalistas.

– A propósito de quê?

– Da hora em que ele chegou em casa anteontem, quinta-feira, à noite.

– E o senhor respondeu?

– A verdade, claro! Soava dez e meia da noite quando ele me deixou na porta de casa.

– Justamente, sua esposa acha que ele só voltou para casa de madrugada.

– Sim, eu sei, ela berra isso aos quatro cantos, como uma mulher feroz, enlouquecida de ciúmes. "O que o senhor fez a partir das dez e meia da noite? Onde o senhor esteve?" Daí a Justiça se intromete, os repórteres retornam à minha casa e, como um crime foi cometido nessa hora, aqui está o meu pobre amigo virando suspeito!

Ele riu com vontade.

– Gustave, ladrão e assassino! Gustave, que não mataria nem uma mosca!

– Seu amigo estava um pouco embriagado?

– Oh! Quase nada. Ele fica tonto com facilidade! Ele até queria me arrastar para a taverna aqui perto, no cruzamento, que fecha apenas à meia-noite. Grande Gustave!

Os dois policiais foram até a taverna. Disseram-lhes que o senhor Gustave Géraume, cliente assíduo da casa, entrara para beber um *kümmel*, um pouco depois das dez e meia da noite de anteontem.

Assim, a pergunta ganhou força: o que fizera Gustave Géraume, das dez e meia da noite até o meio da madrugada?

Eles levaram o barão d'Autrey de volta para a casa dele, assim como o inspetor encarregado de vigiá-lo, e Mauléon quis seguir até o casarão de Géraume, onde não encontraram ninguém.

– Vamos almoçar – disse Mauléon. – Já está tarde.

Almoçaram no Café de Sports, mal trocando algumas palavras. O silêncio e o mau humor de Victor revelavam como pareciam tolas as preocupações do comissário.

– O quê! – gritou Mauléon. – Você não acha que há algo de estranho no comportamento desse indivíduo?

– Qual indivíduo?

– Gustave Géraume.

– Gustave Géraume? Ele vem em segundo plano para mim.

– Mas me diga, droga, qual é o seu primeiro plano!

– Ir direto à casa da Élise Masson.

– E o meu – proferiu Mauléon, que se animava rápido e que ainda persistia – é o de ver a senhora d'Autrey. Vamos!

– Vamos – concordou Victor, dando mais ainda de ombros.

O inspetor, postado na calçada, vigiava na frente da casa. Eles avançaram. Mauléon tocou a campainha. Abriram a porta. Estavam prestes a entrar, quando foram chamados lá de baixo. Um agente subia a toda velocidade; tinha recebido um recado de um dos dois ciclistas que Victor designara para vigiar o prédio na Rua de Vaugirard, onde Élise Masson morava.

– E aí, o que há de errado? – ele perguntou.

– Ela foi assassinada... provavelmente estrangulada...

– Élise Masson?

– Sim.

3

Mauléon era impulsivo. Ao se dar conta de que havia cometido um engano ao não começar as investigações pela Rua de Vaugirard, como seu companheiro queria, ferveu de raiva e, sem saber a quem culpar, irrompeu na sala onde estava o casal d'Autrey e gritou, sem dúvida na esperança de provocar uma reação da qual ele tiraria proveito:

– Ela foi assassinada! É isso mesmo! Por que não nos avisaram do perigo que essa infeliz corria? Se a mataram, foi porque o senhor lhe confiou as apólices, senhor d'Autrey, e alguém tinha conhecimento disso. Quem? O senhor está disposto a colaborar conosco, agora?

Victor queria intervir, mas Mauléon obstinou-se:

— O quê? Ficar calmo? Não tenho esse hábito. A amante de d'Autrey foi assassinada. Pergunto se ele pode ou não nos oferecer uma pista. Já! sem demora!

Se houve uma reação, ela não veio do senhor Autrey, que permaneceu paralisado, com os olhos arregalados e como se tentasse entender o real significado daquelas palavras. Mas Gabrielle d'Autrey voltou a si e, rígida, olhou para o marido, esperando um protesto, um levante, um sobressalto. Ela teve de se apoiar para não cair. Quando Mauléon calou-se, ela balbuciou:

— Você tinha uma amante... Você! Você! Maxime! Uma amante... Então, todos os dias, quando você ia a Paris... — Ela repetiu, em voz baixa, enquanto suas bochechas coradas empalideceram: — Uma amante! Uma amante! Como isso é possível? Você tinha uma amante!

Ao final, ele respondeu, com o mesmo tom de lamúria:

— Perdoe-me, Gabrielle... Não sei como isso foi acontecer... E aí está, ela morreu...

Gabrielle fez o sinal-da-cruz.

— Ela está morta...

— Você ouviu. Tudo o que está acontecendo, nestes dois dias, é terrível. Não entendo mais nada... um pesadelo... Por que me torturar assim? Por que essas pessoas querem me prender?

Ela encolheu-se.

— Prender você?... Você está louco?... Por que prender você?

Ela explodiu de desespero, jogou-se no chão e, de joelhos, com as mãos unidas e estendidas para o comissário, implorou:

— Não, não... o senhor não tem esse direito... eu juro, ele é inocente! Pelo assassinato do padre Lescot? Mas como, se ele estava comigo?... Ah! juro pela minha salvação eterna... ele me beijou... e então... e então... eu adormeci nos braços dele... Sim, nos braços dele. Como o senhor pode querer que...? Não, não é? Isso seria monstruoso! – Ela gaguejou ainda mais algumas palavras, mas sua voz, cada vez mais cansada, tornou-se indistinta. E desfaleceu.

Sua dor de mulher enganada, seu medo, suas orações, seus desmaios, tudo soava natural e profundamente sincero. Seria inadmissível achar que ela mentia.

Maxime d'Autrey apenas chorava, sem pensar em zelar pela esposa. Depois de um momento, levemente desperta, ela também chorou aos soluços.

Mauléon pegou o braço de Victor e o tirou dali. No vestíbulo, a velha empregada, Anna, escutava da porta. Ele disparou-lhe:

– Diga a eles para ficarem aqui esta noite... até amanhã. Além disso, haverá alguém de vigília lá embaixo que os impedirá de sair.

No carro, ele disse, em tom irritado:

– Ela estaria mentindo? Quem saberia dizer? Já vi muitas atrizes em cena! O que você acha?

Victor ficou em silêncio, ele dirigia em alta velocidade, tão rápido que Mauléon quis moderá-lo, mas não ousou, temendo que Victor acelerasse ainda mais. Estavam furiosos um com o outro. Os dois colaboradores, associados ao diretor da polícia judiciária, não se davam bem.

A fúria de Mauléon persistia quando cruzaram a multidão aglomerada na esquina da Rua de Vaugirard e entraram na casa. Victor, ao contrário, permanecia calmo e seguro. Logo os agentes lhes passaram as informações, e eles avaliaram a situação que encontraram.

"Às treze horas, os agentes encarregados da busca, após tocarem a campainha no patamar superior da escadaria do terceiro andar, em vão, e sabendo, pelos ciclistas que patrulhavam a rua, que a jovem Élise Masson não havia saído do prédio, chamaram o chaveiro mais próximo. A porta foi aberta e assim que entraram, viram Élise Masson deitada no sofá-cama de seu quarto, virada de costas, pálida, com os braços enrijecidos e os pulsos, por assim dizer, contorcidos pelo esforço de sua resistência.

Nenhum sangue. Nenhuma arma. Nenhum traço de luta entre móveis e objetos, mas o rosto estava inchado e coberto de manchas escuras."

– Manchas significativas – disse o médico-legista. – Houve estrangulamento, provocado por uma corda ou por uma toalha, talvez, um lenço...

Imediatamente Victor percebeu a ausência do lenço laranja e verde que a vítima usava. Ele perguntou, ninguém o vira.

Estranhamente, as gavetas não foram tocadas, nem mesmo o armário com espelhos. Victor encontrou a bolsa de viagem e a mala exatamente como as havia deixado pela manhã. Isso significava que o assassino não procurava pelas apólices, ou sabia que elas não estavam no apartamento.

Questionada, a zeladora observou que a má localização do seu aposento nem sempre lhe permitia distinguir as pessoas que entravam ou saíam, dado o número de apartamentos. Em resumo, ela não havia notado nada de anormal e não poderia dar qualquer indício.

Mauléon puxou Victor para um canto. Um dos inquilinos do quinto andar, um pouco antes do meio-dia, havia cruzado com uma mulher que descia apressada a escada, entre o segundo e o terceiro piso, e teve a impressão de que uma das portas desse último piso havia acabado de se fechar. Ela se vestia com simplicidade, como uma mulher comum. Ele não conseguiu ver seu rosto, que ela parecia querer esconder. – Mauléon adicionou: – A morte aconteceu no final da manhã, segundo o médico-legista, que, no entanto, não pode precisar o horário, dado o precário estado de saúde da vítima. Por outro lado, o resultado de um primeiro exame indica que os objetos, certamente tocados pelo assassino, não apresentam nenhuma impressão digital, ou seja, houve precaução com o uso de luvas.

Victor sentou-se em um canto, com os olhos atentos. Olhou para um dos agentes que vasculhava a sala com meticulosidade, que erguia cada objeto de decoração, que escrutinava as paredes, que balançava as cortinas. Abriu e esvaziou uma cigarreira velha, fora de uso, feita de palha trançada.

Ela continha cerca de quinze fotografias desbotadas. Victor as examinou igualmente. Eram fotos amadoras, como aquelas que se tiram durante uma festa, entre amigos. Amigos, Élise Masson, figurantes, vendedoras, balconistas... Mas, por debaixo de um pedaço de papel de seda amassado, que forrava o fundo da caixa, descobriu uma foto dobrada duas vezes, de melhor qualidade, e teve quase a certeza de que nela estava a misteriosa criatura do Cine Balthazar e do La Bicoque.

Ele colocou a cigarreira no bolso e não tocou no assunto.

AS INVESTIGAÇÕES

1

A reunião agendada pelo diretor da polícia judiciária aconteceu no gabinete do senhor Validoux, juiz de instrução designado para o caso, e que tinha acabado de chegar do La Bicoque, onde havia iniciado sua investigação e recolhido testemunhos. Fora uma reunião bem confusa; o caso das apólices, que já havia resultado em dois crimes, chamara atenção do público, e os jornais se manifestavam com ardor. O nome de Arsène Lupin aparecia no meio do tumulto e da profusão de eventos contraditórios, de hipóteses improváveis, de acusações infundadas e de fofocas sensacionalistas. Tudo isso acontecera no curto espaço de uma semana, e uma reviravolta espetacular surgia a cada momento.

– Devemos agir rápido e avançar a partir de agora – insistiu o comandante-geral da polícia, que foi pessoalmente ouvir o relatório do comissário Mauléon, e que se retirou fazendo um apelo urgente pelo esforço de cada um.

– Agir com rapidez – resmungou o senhor Validoux, um homem plácido, indeciso, e que tinha justamente por teoria deixar os acontecimentos fluírem. Agir com rapidez, era fácil dizer. Mas agir em qual direção? E como ter êxito? Logo que enfrentamos os fatos, toda a realidade se dissipa, toda a certeza se desintegra, e os argumentos se confrontam uns aos outros, todos igualmente lógicos e igualmente frágeis.

Em primeiro lugar, não havia prova irrefutável de que houvesse uma correlação entre o roubo das apólices e o assassinato do padre Lescot. Alphonse Audigrand e a datilógrafa Ernestine não negaram o fugaz papel que tiveram, mas a senhora Chassain contestou e, embora sua relação íntima com o padre Lescot pudesse ser constatada, a incursão pelo envelope pardo não podia ser confirmada. De tal forma que, se havia fortes suposições contra o barão d'Autrey, os motivos de seu suposto crime permaneciam inexplicados.

Finalmente, qual seria a possível ligação entre os assassinatos do padre Lescot e de Élise Masson?

– Em resumo – formulou o comissário Mauléon –, todos esses casos estão ligados entre si apenas pelo impulso do inspetor Victor, que saiu do Cine Balthazar no domingo passado, para terminar hoje, sem pausa, perto do cadáver de Élise Masson. Em última análise, ele nos impôs a sua interpretação.

O inspetor Victor não deixou de dar de ombros. Essas reuniões o irritavam, e seu obstinado silêncio encerrou a discussão.

No domingo, o inspetor chamou em sua casa um desses ex-seguranças que decidiu permanecer no Comando Geral da Polícia mesmo depois de aposentado, e que continua a empregá-lo por conta de sua lealdade e dos seus serviços prestados. O velho Larmonat era muito dedicado a Victor, objeto de sua admiração, e sempre pronto a cumprir missões complicadas, confiadas a ele pelo inspetor.

– Informe-se o melhor que puder – disse a ele – sobre a vida que Élise Masson levou, e tente descobrir se ela não tinha algum amigo mais íntimo ou, além de Maxime d'Autrey, alguma relação mais estável.

Na segunda-feira, Victor foi até Garches, onde o Ministério Público, que havia esmiuçado o apartamento de Élise Masson pela manhã, reconstituiu, à tarde, sob suas instruções, o crime do La Bicoque.

Convocado, o barão d'Autrey mostrou-se disposto e defendeu-se com um vigor impressionante; no entanto, parecia certo que ele havia sido visto no dia seguinte ao crime, em um táxi nas proximidades da Gare du Nord. As duas malas prontas, encontradas em sua casa, e mais o boné cinza, justificavam as mais fortes suspeitas.

Os magistrados queriam fazer uma acareação entre marido e esposa, fazendo entrar a baronesa. Sua entrada, na pequena sala do La Bicoque, causou espanto. Ela estava com um olho inchado, uma bochecha apresentando profundos arranhões, com a mandíbula torta, e de postura arqueada. De pronto, a velha empregada, Anna, que a amparava, interrompeu-a e, apontando para o barão, gritou:

– Foi ele, senhor juiz, que a colocou nesse estado essa manhã! Ele a teria nocauteado se eu não os tivesse separado. Um louco, juiz, um demente... Ele batia com toda a força, em todas as direções, e sem dizer uma palavra!

Maxime d'Autrey recusou-se a se explicar. Com voz de cansaço, a baronesa contou, aos poucos, que não entendia nada. Eles discutiam amigavelmente; então, seu marido, de repente, voou para cima dela.

– Ele está tão infeliz! – acrescentou. – Tudo o que está acontecendo aqui o faz perder a cabeça. Ele nunca me bateu... Não se deve julgá-lo por isso.

Ela segurava-lhe as mãos e o olhava com ternura, enquanto ele chorava, de olhos inchados, de aparência distante, envelhecido dez anos.

Victor perguntou à baronesa.

– A senhora ainda afirma que seu marido entrou em casa, na quinta-feira, às onze horas da noite?

– Sim.

– E que ele a beijou depois de se deitar?

– Sim.

– Certo. Mas a senhora tem certeza de que ele não se levantou meia hora ou uma hora mais tarde?

– Certeza.

– Em que a senhora baseia a sua certeza?

– Se ele não estivesse mais lá, eu teria sentido, já que eu estava em seus braços. Além disso... – Ela corou, como sempre acontecia, e sussurrou: – Uma hora depois, ainda sonolenta, eu disse a ele: "Hoje é meu aniversário".

– E então?

– Então ele me beijou novamente.

Havia algo de comovente em sua introspecção, em seu pudor, mas uma dúvida sempre surgia: não estaria ela fazendo cena? Por mais profunda que fosse a impressão de sua sinceridade, não se poderia supor que ela encontraria, por imposição da convicção, a entonação adequada para salvar o marido?

Os magistrados permaneceram indecisos. A chegada repentina do comissário Mauléon, que permanecera no Comando Geral da Polícia, revirou o caso. Após atrair a todos para o pequeno jardim do La Bicoque, disse com veemência:

– Novidades... dois fatos importantes... três até! Para começar, a escada de ferro utilizada pela cúmplice que o inspetor Victor viu na janela do segundo andar foi encontrada essa manhã, em um jardim abandonado de uma propriedade localizada ao longo da costa, que desce do Haras de La Celle até Bougival. A fugitiva, ou os fugitivos, a teriam jogado por cima do muro. Enviei a escada ao fabricante, e descobri que ela foi vendida para uma mulher que parece ser aquela encontrada perto da casa de Élise Masson, no momento do crime da Rua de Vaugirard. Esse foi apenas o começo! – Mauléon retomou o fôlego e continuou: – Em segundo lugar, um motorista se apresentou para dar um depoimento, no Comando Geral da Polícia, e que trago aqui em mãos. Sexta-feira à tarde, um dia após o assassinato de Lescot, ele estava estacionado na Praça de Luxemburgo, quando um cavalheiro, carregando uma mala de lona, e uma senhora com uma mala de viagem nas mãos, entraram no táxi: "Gare du Nord". "Para o setor de embarque"? "Sim", disse o cavalheiro. Deviam estar adiantados, pois ficaram no carro por uma hora, nos arredores da estação. Em seguida, eles se sentaram no terraço de um café, e o motorista os viu comprando um jornal, de um ambulante que passava. No final, o cavalheiro trouxe a senhora de volta, que regressou sozinha à Praça de Luxemburgo, e saiu andando a pé, com suas duas malas, em direção à Rua de Vaugirard.

– Descrição? – perguntou um dos ouvintes.

– As descrições coincidem com a do barão e de sua amante.

– Horário?

– Cinco e meia. – E Mauléon continuou: – Assim, após mudar de opinião, não sei por quê, desistindo de fugir para o exterior, o senhor d'Autrey manda a sua amante de volta para casa, toma um táxi, e aparece para o trem das seis horas, em Garches, onde se apresenta como um homem honesto, decidido a enfrentar os acontecimentos.

– E em terceiro lugar? – perguntou o juiz de instrução.

– Uma denúncia anônima, feita por telefone, direcionada ao vereador Gustave Géraume. Meu interesse imediato em seguir essa pista foi negligenciado pelo inspetor Victor. O indivíduo que me telefonou declarou que, se prosseguíssemos com afinco a investigação, saberíamos o que fez, em particular, o vereador Gustave Géraume após passar pela taverna do cruzamento, e que seria interessante revistar a escrivaninha de seu gabinete.

Mauléon terminou. Ele e o inspetor Victor foram mandados para o casarão do vereador; o inspetor Victor relutou, mas o acompanhou.

2

Encontraram Gustave Géraume com sua esposa, em seu gabinete e, logo que ele percebeu que Victor e Mauléon haviam sido designados para o caso, Gustave Géraume cruzou os braços e bradou com uma indignação que revelava tanto ironia, quanto raiva:

– Ah! Essa brincadeira ainda não acabou? Faz três dias que isso perdura. Os senhores acham que isso é vida? Meu nome está nos jornais, as pessoas não me cumprimentam!... Hein, Henriette! Isso é que dá sair por aí me maldizendo e contando sobre nossa vida conjugal! Hoje, todos se voltam contra nós.

Henriette, que Victor antes vira tão fogosa, baixou a cabeça e sussurrou:

– Você tem razão, eu já lhe disse. A ideia de que Devalle lhe atirasse para outras mulheres me fez perder a cabeça. Bobagem minha, principalmente porque eu me enganei e porque você chegou em casa bem antes da meia-noite.

O comissário Mauléon apontou para a mobília de mogno.

– O senhor tem a chave desta escrivaninha?

– Sim.

– Poderia abri-la, por favor.

– Por que não? – Tirou um molho de chaves do bolso, inseriu uma chave à frente da escrivaninha e girou, revelando meia dúzia de pequenas gavetas.

Mauléon as vistoriou. Em uma delas, havia uma sacola de lona preta, amarrada por um barbante. Dentro da sacola, finas camadas de uma substância esbranquiçada...

Mauléon disse:

– Estricnina. Onde o senhor conseguiu isso tudo?

– Consigo com facilidade – respondeu Gustave Géraume. – Participo de algumas caçadas em Sologne, e usamos isso para acabar com os parasitas...

– O senhor sabia que o cachorro do senhor Lescot foi envenenado com estricnina?

Gustave Géraume riu com franqueza.

– E daí? Sou o único a possuí-la? Tenho eu esse privilégio?

Henriette não sorria. Seu rosto alegre assumiu uma feição de pavor.

– Abra seu escritório para mim – ordenou Mauléon.

Géraume, que agora parecia preocupado, hesitou, depois obedeceu.

Mauléon folheou alguns papéis, deu uma olhada em dossiês e em registros. Avistando o revólver Browning, ele o examinou e depois mediu o diâmetro do cano de duplo decímetro.

– É uma Browning de sete tiros – disse ele – que parece ser de calibre 7,65mm.

– Sim, 7,65mm – disse Géraume.

– Foi de uma Browning deste mesmo calibre que foram disparadas duas balas, uma que matou o padre Lescot e a outra que feriu o inspetor Hédouin.

– Como o senhor quer que eu reaja? – perguntou Géraume. – Não a uso desde que comprei... cinco ou seis anos atrás.

Mauléon tirou o carregador e viu que faltavam duas balas. O comissário insistiu:

– Faltam duas balas. – Após um novo exame, ele retomou: – Seja lá o que o senhor diga, parece-me que o interior do cano armazena vestígios de pólvora queimada recentemente. Os peritos vão averiguar.

Gustave Géraume permaneceu confuso por um longo tempo. Após refletir, deu de ombros.

– Nada disso faz sentido. O senhor poderia ter mil provas contra mim como essa, que elas não mudariam a verdade. Pelo contrário, se eu fosse culpado, não haveria estricnina nesta escrivaninha, nem neste escritório haveria um revólver do qual faltam duas balas.

– Como o senhor explica essas coincidências?

– Não explico nada. O crime foi cometido, ao que parece, à uma da manhã. Mas, meu jardineiro Alfred, cujo aposento fica a trinta passos da minha garagem, ainda me disse há pouco que entrei em casa por volta das onze horas. – Ele se levantou e gritou pela janela: – Alfred!

O jardineiro era tão tímido que, antes de cada resposta, girava seu boné umas mil vezes por entre os dedos.

Mauléon se irritou:

– Vamos lá! Quando o seu patrão estaciona o carro, você consegue ouvi-lo, sim ou não?

– Diabos! Isso depende... tem dias...

– Quero saber daquele dia?

– Não tenho certeza... acho que sim...

– O quê! – exclamou Gustave Géraume. – Você não tem certeza?

Mauléon interveio e, aproximando-se do jardineiro, formulou em tom austero:

– Não se trata de fingir... Um falso testemunho pode lhe trazer sérias consequências. Diga a mais pura verdade... simplesmente... A que horas você ouviu o barulho do carro, naquela noite?

Alfred apalpou de novo seu boné, engoliu seco, inspirou e ao final gaguejou:

– Por volta de uma e quinze da madrugada... uma e meia talvez...

Mal teve tempo de terminar a frase. O plácido e jovial Géraume empurrou-o em direção à porta e chutou-lhe o traseiro.

– Saia! Que eu não o veja de novo... acertaremos suas contas essa noite.

Então, repentinamente aliviado, ele voltou para Mauléon e disse:

– Estou me sentindo melhor agora. Faça o que quiser, mas vou avisando que ninguém vai me arrancar uma palavra... nem uma única palavra... Virem-se como puderem!

Sua esposa se jogou em seus braços, soluçando. Ele seguiu Mauléon e Victor até o La Bicoque.

Na mesma noite, o barão d'Autrey e Gustave Géraume foram conduzidos às instalações da polícia judiciária, e colocados à disposição do juiz de instrução.

O senhor Gautier, diretor da polícia judiciária, encontrando-se com Victor, disse-lhe:

– E então, Victor, estamos avançando, hein?

– Um pouco rápido demais, chefe.

– Explique-se.

– Ora! De que adianta? Era necessário dar uma satisfação à opinião pública. Foi feito. Viva Mauléon! Abaixo Victor! – Ele pediu a seu superior: – Assim que conhecermos o motorista que conduziu o barão, no dia seguinte ao crime, da Gare du Nord até a Gare Saint-Lazare, prometa que me avisará, chefe.

– Qual a sua expectativa?

– Reencontrar as apólices...

– Diabos! E enquanto isso?...

– Enquanto isso vou cuidando de Arsène Lupin. Todo esse caso enrolado e complicado, feito de peças que não se encaixam, só fará sentido quando o papel de Arsène Lupin for desvendado. Até aqui, temos um caso muito cabeludo, muita falácia e muito quiproquó.

3

A opinião pública, de fato, ficou satisfeita. Os acontecimentos não esclareciam nem o crime do La Bicoque, nem o crime da Rua de Vaugirard, nem o roubo das apólices, mas, no dia seguinte, depois de um interrogatório inútil, já que nenhuma pergunta foi respondida, d'Autrey e Géraume dormiram na prisão de Santé.

Tanto para os jornais, quanto para o público, ambos eram cúmplices de uma grande organização, montada, sem dúvida, por Arsène Lupin. Entre eles e Arsène Lupin, uma mulher, obviamente sua amante, servia como intermediária. A instrução judicial determinaria o papel de cada um deles.

"Afinal", pensou Victor consigo mesmo "nem tudo era assim tão mal fundamentado. O essencial era chegar a Lupin, e como chegar até ele senão por meio de sua amante, e de se certificar que a senhora do Cine Balthazar, a mulher do La Bicoque, aquela que comprara a escada e a simplória mulher vista no andar de Élise Masson eram a mesma pessoa?"

Ele mostrou a foto que tinha ao balconista que vendera a escada, e depois também para o inquilino que avistara a simplória mulher saindo apressada do prédio, e obteve respostas análogas: "Se não for ela, se parece muito!"

Finalmente, em uma manhã, ele recebeu uma carta de seu fiel amigo Larmonat:

Seguindo a pista.
Vou ao funeral de Élise Masson, perto de Chartres.
Até mais tarde.

À noite, Larmonat chegou com uma amiga de Élise, a única que fizera o trajeto e que seguira o humilde cortejo fúnebre da órfã. Armande Dutrec, uma bela garota de cabelos castanhos, de modos francos, era ligada a Élise por meio do music-hall e se viam com frequência. Sua amiga sempre lhe parecera possuir uma natureza misteriosa, "com relações duvidosas", disse ela.

Victor pediu para que ela examinasse todas as fotos. Diante da última, a reação foi imediata.

– Ah! Essa aqui, eu a vi... alta, muito pálida, com olhos inesquecíveis. Eu tinha um encontro com a Élise, perto do Ópera de Paris. Élise saiu de um carro dirigido por uma mulher... essa mulher aqui, eu a reconheço.

– Élise não lhe contou nada a respeito?

– Não. Mas uma vez eu surpreendi esse endereço em uma carta que ela colocava nos correios: "Princesa... em seguida, um nome russo que não consegui ler bem... e o nome de um hotel, na Praça da Concórdia". Tenho certeza de que se tratava dela.

– Faz muito tempo?

– Três semanas. Depois disso, nunca mais vi a Élise; seu caso com o barão d'Autrey a mantinha muito ocupada. Além disso, ela se sentia doente e por isso só pensava em ir se curar nas montanhas.

Naquela mesma noite, Victor soube que uma princesa, Alexandra Basileïef, havia se hospedado em um grande hotel na Concórdia e que sua correspondência era enviada ao Hotel Cambridge, do Champs-Élysées.

Princesa Basileïef? Um dia bastou para Victor e Larmonat saberem que a única descendente de uma grande e tradicional família russa com esse nome estava em Paris, e que seu pai, sua mãe e seus irmãos haviam sido massacrados a mando da Tchéka[1], e que ela, Alexandra Basileïef, deixada para morrer, fora capaz de se salvar e de cruzar a fronteira. Como a família sempre tivera propriedades na Europa, ela era rica e vivia como bem entendesse, de forma original, bastante solitária, embora mantivesse relações com algumas senhoras da comunidade russa, que sempre a chamavam de princesa Alexandra. Agora era uma jovem mulher de trinta anos.

Larmonat foi averiguar no Hotel Cambridge. A princesa Basileïef quase não saía, costumava tomar chá no salão de baile e também jantava no restaurante do hotel. Nunca falava com ninguém.

Uma tarde, Victor sentou-se, com discrição, entre a elegante multidão que rodopiava ou que conversava ao som da orquestra. Uma mulher alta, pálida, loiríssima, passou e sentou-se a poucos metros dele. Era ela!

Sim, era ela, a senhora do Cine Balthazar! Ela, a visão esfumaçada da janela do La Bicoque! Era ela e, contudo...

À primeira vista, sem dúvida. Duas mulheres não dariam essa mesma impressão de beleza, não teriam esse mesmo olhar inabalável, nem essa mesma palidez, tampouco essa mesma suntuosidade. Mas os cabelos loiros, cor palha, leves e cacheados, tiravam da fisionomia todo o lado patético que se associava, na memória de Victor, aos cabelos alaranjados.

---

[1] Polícia secreta da antiga União Soviética. (N.T.)

Ficou cismado. Retornou duas vezes, sem reencontrar a mesma convicção causada pelo primeiro impacto. Mas, por outro lado, essa patética feição, registrada à noite, em Garches, não derivava das circunstâncias, do crime cometido, do perigo corrido, do medo?

Ele fez entrar a amiga de Élise Masson.

– Sim – disse ela imediatamente –, é a senhora que vi com Élise, em seu automóvel... Sim, acho que é ela.

Dois dias depois, um viajante chegou ao Hotel Cambridge. Ele escreveu na folha de registro que lhe foi apresentada: Marcos Avisto, sessenta e dois anos, proveniente do Peru.

Ninguém poderia reconhecer, nesse respeitável cavalheiro, muito distinto, vestido com sobriedade, envelhecido dez anos, cabelos completamente brancos, o ar amável de quem a vida só presenteou com benesses e privilégios, o policial Victor, da Brigada Anticrime, tão rígido em sua casaca de adjunto aposentado e com ar tão pouco convidativo.

Deram-lhe um quarto, no terceiro andar. O aposento da princesa ficava nesse andar, uma dúzia de portas mais distante.

"Está correndo tudo bem", pensou Victor consigo mesmo. "Mas não há tempo a perder. É preciso agir e rápido!"

A PRINCESA BASILEÏEF

1

No enorme hotel de quinhentos aposentos, onde a multidão se aglomerava todas as tardes e noites, um homem como Marcos Avisto não chamava muita atenção, e ele tirava proveito disso para não ser notado por uma mulher que parecia tão absorta em si mesma, tão distraída, como a princesa Alexandra Basileïef.

Isso permitiu que ele realizasse uma vigilância quase ininterrupta. Durante os primeiros quatro dias, ela não saiu do hotel, não recebeu visitas ou correspondência. Se ela se comunicava com o mundo externo, só poderia fazê-lo pelo telefone de seu quarto, como Victor fazia com seu camarada Larmonat.

Ele ansiava pela hora do jantar para encontrá-la, mas cuidava para jamais cruzar com o seu olhar, embora nunca tirasse os olhos dela; e esse espetáculo o seduzia. Era possível dizer que, sob a aparência de um homem viajado, ele se permitia viver emoções e admirações proibidas ao inspetor da Brigada Anticrime. Ele se revoltou com a ideia de que tal criatura pudesse ser vítima de um aventureiro, e resmungou consigo mesmo: "Não, não é possível... Uma mulher dessa estirpe e de tanta qualidade não pode ser amante de um ladrão como esse Lupin".

Deveríamos mesmo admitir que ela era a ladra do La Bicoque e a assassina da Rua de Vaugirard? Seria possível matar para roubar algumas centenas de milhares de francos quando se é rico, e quando se tem mãos aristocráticas, esguias e alvas, cravadas de diamantes?

Na quarta noite, quando ela ia subir para o seu quarto, depois de fumar no corredor, ele se preparou para entrar no elevador que ela estava prestes a tomar. Ele entrou, fez uma reverência, mas não olhou para ela.

O mesmo se deu na quinta à noite, como que por acaso. E aconteceu de forma tão natural que, se mais mil encontros tivessem acontecido, teriam sido nos mesmos moldes de educada indiferença e de distração recíproca. Ela se mantinha perto do ascensorista, de frente para a saída; Victor atrás dela.

Na sexta à noite, não deu a mesma sorte de encontrá-la. Mas no sétimo dia, Victor apareceu na hora em que as grades se fechavam, entrou e ocupou seu lugar habitual, nos fundos do elevador.

No terceiro andar, a princesa Basileïef virou à direita e se dirigiu ao seu quarto. Victor, que residia na mesma direção, só que um pouco mais longe, seguiu-a.

Mal ela deu dez passos no corredor deserto, colocou as mãos, de repente, sobre a nuca e parou.

Victor se aproximava. Ela agarrou seu braço, e pronunciou, com a voz agitada:

– Cavalheiro... levaram-me uma presilha de esmeraldas... que eu usava nos cabelos... Aconteceu agora no elevador... tenho certeza disso...

Ele ficou indignado. O tom foi hostil.

– Sinto muito pela senhora...

Por três segundos, seus olhares se encontraram. Ela se recompôs.

– Vou procurá-la – disse ela, refazendo seus passos. – Sem dúvida, a presilha deve ter caído.

Ele igualmente agarrou o braço dela.

– Com licença, minha senhora, antes de procurá-la, seria melhor esclarecer um pequeno detalhe. A senhora sentiu tocarem os seus cabelos?

– Não prestei atenção na hora. Mas agora...

– Consequentemente, só poderia ter sido eu... ou o ascensorista.

– Oh! Não, esse rapaz seria incapaz de...

– Então, teria sido eu?

Fez-se um silêncio. Seus olhos se reencontraram, eles se encaravam. Ela sussurrou:

– Eu certamente me enganei, cavalheiro. Essa presilha talvez não estivesse presa nos meus cabelos. Vou reencontrá-la quando chegar ao meu quarto.

Ele a deteve.

– Quando nos separarmos, será tarde demais, e a senhora vai continuar desconfiando de mim, o que não posso tolerar. Recomendo veementemente que desçamos juntos à repartição do hotel, para que a senhora apresente uma queixa... que seja até mesmo contra mim.

Ela pensou, depois disse claramente:

– Não, cavalheiro, é inútil. O senhor reside no hotel?

– Quarto 345. Senhor Marcos Avisto.

Ela se afastou, repetindo o seu nome.

Victor voltou para casa. Seu amigo Larmonat o esperava por lá.

– E então?

– E então, está feito! – exclamou Victor. – Ela compreendeu rápido, tanto que o impacto entre nós foi imediato.

– E então?

– Ela recuou.

– Recuou?

– Sim. Ela não se atreveu a ir até o fim de suas suspeitas. Ele tirou a presilha do bolso e a colocou dentro de uma gaveta.

– Era exatamente isso o que eu queria.

– Isso era o que você queria?

– Claro! – exclamou Victor. – Você não entendeu o meu plano?

– Sinceramente...

– No entanto, ele é muito simples! Atrair a atenção da princesa, aguçar sua curiosidade, entrar em sua intimidade, inspirá-la com a mais absoluta confiança e, por meio dela, encontrar Lupin.

– Isso vai demorar.

– É por isso que sou impetuoso, mas, diabos, é preciso cautela e maestria também! Uma manobra simplesmente emocionante! A ideia de investir em Lupin, de chegar até ele, de me tornar seu cúmplice, seu braço direito e, no dia em que ele meter as mãos nos dez milhões que procura, eu estar lá, Victor, da Brigada Anticrime... Essa ideia me deixa alvoroçado! Sem contar... Sem contar que ela é linda de morrer, a princesa é magnífica!

– Como pode se preocupar com essas futilidades, Victor?

– Não, não me preocupo, mas tenho olhos para enxergar.

– Vou devolvê-la – ele disse – assim que ela reagir como prevejo. Não vai demorar.

O telefone tocou. Ele pegou o gancho.

– Alô? sim, sou eu. A presilha?... foi encontrada... Ah! bem, fico muito feliz... com os meus cumprimentos, minha senhora. – Desligou e caiu no riso. – Ela encontrou, na toalete dela, a joia que está nessa gaveta, Larmonat. O que significa que, decididamente, ela não se atreve a dar queixa e a correr o risco de se envolver em um escândalo.

– No entanto, ela sabe que a joia sumiu?
– Sim.
– E ela suspeita que foi roubada?
– Sim.
– Por você?
– Sim.
– Então ela acredita que você é um ladrão? Você está jogando um jogo perigoso, Victor...
– Pelo contrário! Quanto mais bonita ela me parece, mais me enfureço com aquele patife do Lupin. Ele tem muita sorte!

2

Por dois dias, Victor não reviu Alexandra Basileïef. Ele saíra para se informar, ela não se mexera do seu aposento.

Na noite seguinte, foi jantar no restaurante. Victor ocupou uma mesa próxima à dela. Ele não a olhou, mas ela não podia deixar de vê-lo, de perfil, muito calmo e preocupado apenas em degustar o seu vinho da Borgonha.

Fumaram no corredor, sempre alheios um ao outro. Victor encarava de relance os homens que ali transitavam e tentou discernir se, entre eles, havia algum cuja elegância, silhueta, desenvoltura, autoridade, pudesse denunciar a personalidade de um Arsène Lupin. Mas nenhum deles tinha o porte desse a quem ele procurava com certa irritação e, fosse como fosse, Alexandra parecia indiferente a todos aqueles homens.

No dia seguinte, mesmo programa e mesma rotina. No entanto, dois dias depois, quando ela estava descendo para jantar, eles se encontraram no elevador. Nenhum gesto, de ambos os lados, cada qual poderia acreditar que não tinha sido notado.

"Isso não impede, princesa" pensou Victor, "que você pense que eu seja um ladrão! Você se permite passar, a meus olhos, por uma mulher que sabe que foi roubada, que admite ter sido roubada por mim e que considera natural não dizer uma palavra a respeito. Despreocupação de uma memorável mulher? Não importa! A primeira etapa foi concluída. Qual será a segunda?"

Mais dois dias se passaram, e então aconteceu algo no qual Victor não teve participação, mas que claramente contribuiu para a sua realização. Certa manhã, no primeiro andar do hotel, uma caixa contendo ouro e joias foi roubada de uma turista americana que estava de passagem.

A segunda edição do jornal *La Feuille du Soir* contava o incidente cujas circunstâncias revelavam, na pessoa que o executara, uma habilidade prodigiosa e uma frieza extraordinária.

Esse jornal era disponibilizado todas as noites na mesa da princesa, que o folheava distraidamente. Ela bateu os olhos na primeira página e, imediatamente, por instinto, dirigiu seu olhar em direção a Victor, como se pensasse consigo mesma: "É ele o ladrão".

Victor, que estava à espreita, curvou-se levemente, mas não esperou para ver se ela respondia àquele discreto cumprimento. Ela retomou mais minuciosamente a leitura.

"Aqui estou", pensou ele, "rotulado e tachado como um ladrão de grande envergadura, saqueador de palácios. Se essa é a mulher que procuro, e disso não mais duvido, devo lhe inspirar amizade. Que audácia a minha! Que serenidade! Quando eles golpeiam, os outros fogem e se escondem; eu não mexo uma palha!"

A reaproximação era inevitável. Victor facilitou as coisas, postando-se frente à jovem e acomodando-se no corredor, em um divã isolado, mas que ficava de frente à poltrona onde ela costumava se sentar.

Ela chegou, indecisa por um segundo, e sentou-se no divã.

Seguiu-se uma pausa, o tempo necessário para acender um cigarro e dar algumas baforadas. Então, ela colocou a mão na nuca, como fizera na outra noite, soltou uma presilha dos cabelos e mostrou:

– Como o cavalheiro pode ver, eu a encontrei.

– Curioso! – exclamou Victor, tirando do bolso aquela que tinha pego –, acabei de encontrá-la também.

Ela ficou desconcertada, não previra essa resposta, essa confissão, e deve ter sentido a humilhação de quem está acostumada a dominar e que, de repente, encontra um adversário que compra o desafio...

– Somando tudo, a senhora tem o par – disse ele. – Seria uma pena se as duas presilhas não permanecessem com a senhora!

– Uma pena, realmente – disse ela, esmagando a brasa do seu cigarro contra o cinzeiro e interrompendo a conversa.

Mas no dia seguinte, ela se juntou a Victor no mesmo lugar. Ela tinha os braços e os ombros desnudos, e um ar menos reservado, e lhe disse à queima-roupa, com um sotaque autêntico, pouco marcado por inflexões estrangeiras:

– Devo representar algo de bastante estranho e complicado para o senhor, não é?

– Nem estranho, nem complicado, minha senhora – respondeu ele, sorrindo. – A senhora é russa, disseram-me, e princesa. Uma princesa russa, nos dias de hoje, é um ser social cujo equilíbrio não é lá muito estável.

– A vida tem sido muito difícil para mim e minha família; ainda mais difícil pelo fato de termos sido tão felizes. Amava e fui amada por todos. Uma garotinha confiante, despreocupada, gentil, espontânea, que se divertia com tudo e que não tinha medo de nada, sempre pronta para rir e cantar... E depois, em toda a alegria de uma jovem noiva, a tristeza se abateu sobre nós, de repente, como uma rajada. Meu pai e minha mãe foram enforcados diante de meus olhos; torturaram meus irmãos e meu noivo, enquanto eu... – Ela passou a mão na testa: – Não vamos falar sobre isso... não quero lembrar... não me lembro... mas eu nunca pude me recuperar; aparentemente, sim, mas no íntimo eu ignoro a calmaria. Ademais, como poderia suportar tudo isso? Não, eu senti o gosto da inquietação e da angústia...

– Ou seja – disse ele –, a lembrança de um passado aterrorizante faz a senhora precisar de fortes sensações. Então, se o acaso coloca um cavalheiro no seu caminho... um cavalheiro um pouco fora das convenções, ele acaba despertando a sua curiosidade. É natural.

– Natural?

– Oh, céus! Claro que sim! A senhora correu tantos perigos e testemunhou tantas tragédias que ainda se sensibiliza ao sentir uma atmosfera de drama ao seu redor ou ao conversar com alguém que, de um momento para outro, pode se sentir ameaçado... Então, a senhora vê em seu rosto os sinais de preocupação ou de medo, e se pergunta se ele é como qualquer outra pessoa, se fuma um cigarro com prazer, se não há qualquer perturbação em sua voz.

Ela o ouvia com atenção e o observava, debruçada sobre ele. Ele brincou:

– Acima de tudo, não seja muito indulgente com esses indivíduos, e não os tenha como modelo superior de humanidade. No máximo o que eles têm é um pouco mais de ousadia que outros, com nervos ao mesmo tempo mais tensos e mais relaxados. Uma questão de hábito e de controle. Como agora...

– Agora?

– Não, nada...

– O que houve?

Baixinho, ele disse:

– Afaste-se de mim, é melhor.

– Por quê? – ela sussurrou, cumprindo sua ordem.

– Vê aquele gordo ridículo, de smoking, passeando por ali, à esquerda?

– Quem é?

– Um policial.

– Hein? – murmurou ela se encolhendo.

– Comissário Mauléon. Ele é o encarregado da investigação do roubo da caixa de joias, e está inspecionando todo mundo.

Ela se apoiou na mesa e, sem dar a impressão de se esconder, cobriu a testa com a mão esticada, ao mesmo tempo em que observava Victor, para ver o efeito que causava o perigo sobre ele.

– Vá embora – ela sussurrou.

– Por que ir embora? Se a senhora soubesse como esses sujeitos são tacanhos! Mauléon? Um idiota... Só existe um homem capaz de me dar arrepios, caso eu o visse por aqui.

– Quem?

– Um subordinado dele... chamado Victor, da Brigada Anticrime.

– Victor... da Brigada Anticrime... Li o nome dele.

– É ele quem cuida, com Mauléon, das apólices, do drama do La Bicoque... e daquela infeliz que foi assassinada, Élise Masson...

Ela não vacilou e perguntou:

– Como é esse Victor?

– Mais baixo que eu... apertado em sua casaca como um cavaleiro de circo... com um olhar que pode despir da cabeça aos pés. Esse, sim, é para ser temido. Enquanto que Mauléon... Não se mexa, ele está olhando em nossa direção.

Mauléon, de fato, passava os olhos em cada um. Se deteve na princesa, depois em Victor, depois passou adiante.

Foi o fim da sua inspeção. E se foi.

A princesa suspirou. Ela parecia estar no limite de suas forças.

– Aí está! – exclamou Victor. – Ele acha que cumpriu sua tarefa e que ninguém escapou de seus olhos de lince. Ah! Sabe, minha senhora, se um dia me ocorrer de roubar dentro de um palácio, eu é que não me mexo. Como é que a senhora pode entender que o ladrão seja investigado no mesmo lugar onde teria agido?

– Porém, Mauléon?...

– Não pode ser o ladrão da caixa de joias que ele está à procura hoje.

– Quem, então?

– As pessoas do La Bicoque e da Rua de Vaugirard. Ele só pensa nisso, toda a polícia pensa apenas nisso. É uma obsessão para eles.

Engoliu o licor de sua taça e fumou um cigarro. Seu pálido e magnífico rosto retomava a confiança, e como Victor adivinhara, o turbilhão de pensamentos e todo o pavor que Alexandra sofrera, no íntimo, eram para ela como um prazer doentio!

Quando a jovem se levantou, ele teve, pela primeira vez, a impressão de que ela havia trocado um olhar furtivo com outras pessoas. Dois cavalheiros estavam sentados mais adiante. Um, de rosto avermelhado, bastante comum, devia ser inglês, e Victor já o tinha notado no saguão. O outro, ele nunca tinha visto. Ele exibia aquela elegância e desenvoltura que Victor atribuía a Lupin; ele ria com seu amigo, era alegre, de fisionomia amigável, com uma feição às vezes um pouco enrijecida.

Mais uma vez, a princesa Alexandra o fitou, depois virou a cabeça e foi embora.

Cinco minutos mais tarde, os dois amigos se levantaram. No vestíbulo da entrada, o mais jovem acendeu um charuto, colocou o chapéu e o sobretudo, e saiu do hotel.

O inglês se dirigiu ao elevador.

Quando o elevador chegou, Victor tomou seu lugar e perguntou ao ascensorista:

– Qual é o nome do cavalheiro que acabou de subir? Um inglês, não é?

– O cavalheiro do 337?

– Sim.

– Senhor Beamish.

– Já faz algum tempo que ele está aqui, não?

– Sim... uns quinze dias, talvez.

Então, esse cavalheiro morava no hotel durante o mesmo período que a princesa Basileïef, e no mesmo andar. E se, naquele instante, em vez de ele virar à esquerda para ir ao número 337, ele virasse à direita a fim de se juntar a Alexandra?

Victor caminhou furtivamente perto do quarto dela. Ao chegar em seu próprio aposento, deixou a porta entreaberta e ouviu com atenção.

A espera prolongou-se, e ele foi para a cama de muito mau humor. Ele não tinha dúvidas de que era Arsène Lupin o tal amigo do inglês Beamish, ou seja, o amante da princesa Alexandra. Esse foi, certamente, um grande passo dado na difícil investigação que conduzia. Ao mesmo tempo, Victor teve de admitir que esse homem era jovem e tinha um belo porte, e isso o irritou.

3

Victor convocou Larmonat na tarde seguinte.

– Você mantém contato com Mauléon?

– Sim.

– Ele não sabe onde estou?

– Não.

– Foi pelo caso da caixa de joias que ele veio aqui ontem à noite?

– Sim, foi um carregador de bagagens do hotel quem aplicou o golpe, e estamos convencidos de que ele tinha um cúmplice que fugiu. Mas Mauléon está muito assoberbado com uma operação completamente diferente dessa história de caixa de joias, e que se trata de cercar, essa tarde, um bar onde se reúne a gangue do Arsène Lupin, e onde se supõe, pelos trechos deixados em sua carta, a sua associação ao famoso caso dos dez milhões.

– Oh! Oh! Qual o endereço desse bar?

– Foi prometido a Mauléon... Ele o receberá a qualquer minuto.

Victor contou a Larmonat o que acontecera no hotel com Alexandra Basileïef e lhe falara sobre o inglês Beamish.

– Ao que parece, ele sai todas as manhãs e geralmente só volta à noite. Você tem de vigiá-lo. Até lá, faça um *tour* pelo quarto dele.

– Impossível! Seria necessária uma ordem vinda do Comando Geral da Polícia. Um mandado...

– Para que tanto alarde? Se o pessoal do Comando intervir, eles vão estragar tudo! Lupin não é o barão d'Autrey, nem Gustave Géraume, e somente eu devo me ocupar dele; somente pelas minhas mãos é que ele deve ser detido e entregue. Isso me diz respeito, esse caso é meu.

– E então?

– Hoje é domingo, e há poucos funcionários no hotel. Com um pouco de precaução, você não será notado. Se for pego, mostre seu cartão. Resta apenas um detalhe: como conseguir a chave?

Larmonat, rindo, exibiu um chaveiro abarrotado.

– Eu cuido disso. Um bom policial precisa saber tanto ou ainda mais que um ladrão. Quarto 337, não é?

– Sim, e, sobretudo, não mude nada de lugar. O inglês não pode ter a menor suspeita.

Pela porta entreaberta, Victor o observou se afastar e, em seguida, no final do corredor deserto, ele parar, abrir, entrar...

Meia hora se passou.

– E então? – ele perguntou no seu retorno.

O outro deu uma piscadinha.

– Falando sério, você tem bom olfato para as coisas!

– O que encontrou?

– No meio de uma pilha de camisas, um lenço laranja, com grandes bolas verdes... bastante amarrotado...

Victor ficou emocionado.

– O lenço de Élise Masson... Eu não estava enganado.

– E como esse inglês parece de conluio com a russa – continuou Larmonat –, era ela que estava na Rua de Vaugirard, com ou sem o inglês Beamish.

A prova era clara. Seria possível interpretar de outra forma? Seria possível ainda continuar duvidando?

Pouco antes do jantar, Victor desceu a avenida e comprou a segunda edição do jornal *La Feuille du Soir*.

Na segunda página, em letras garrafais, ele leu:

> *Foi anunciado, de última hora, que o comissário Mauléon e três dos seus inspetores cercaram o bar da Rua Marbeuf esta tarde, onde costumavam se reunir, segundo informaram, alguns escroques, principalmente ingleses, que faziam parte de uma facção internacional. Eles se sentavam ao redor de uma mesa. Dois deles conseguiram escapar pelos fundos, sendo que um, gravemente ferido. Os outros três foram capturados. Algumas pistas levam a crer que Arsène Lupin seja um destes últimos. Estamos à espera dos inspetores da Brigada móvel que recentemente o avistaram em Estrasburgo, sob seu novo avatar. Sabe-se que a ficha antropométrica de Arsène Lupin, roubada do Departamento de Identificação Judicial, não existe.*

Victor vestiu-se e foi para o restaurante. Na mesa de Alexandra Basileïef, o jornal estava exposto.

Ela chegara tarde, parecia não saber e não se preocupar com nada. Apenas no final da refeição, ela abriu o *La Feuille*. Leu a primeira página e depois seguiu a leitura. Imediatamente, sua cabeça se pendeu, fazendo-a titubear na cadeira. Endireitou-se, continuou a ler e, nas últimas linhas, Victor pensou que ela fosse desmaiar. Fraqueza passageira. Ela jogou, com descuido, o jornal para o lado. Nem por uma única vez olhou para Victor, e pôde jurar que ele nada havia notado.

Não se juntou a ele no saguão do hotel. O inglês Beamish estava lá. Seria ele um dos dois escroques que escaparam de Mauléon, naquele bar da Rua Marbeuf, tão perto do hotel? Teria ele dado à princesa Basileïef notícias de Arsène Lupin?

Por curiosidade, Victor subiu e postou-se atrás da porta.

A russa apareceu primeiro, e esperou do lado de fora do quarto, impaciente e nervosa. Não demorou muito para que o inglês saísse do elevador, ele inspecionou o corredor e rapidamente correu em sua direção. Trocaram algumas palavras, e a russa começou a gargalhar. Logo, o inglês se afastou.

"Vejamos" pensou Victor, "tudo nos leva a acreditar que, se ela realmente é a amante de Lupin, então ele não foi pego na batida policial, e o inglês veio tranquilizá-la. Daí sua gargalhada".

Subsequentes declarações da polícia confirmaram essa hipótese. Arsène Lupin não foi reconhecido entre os três capturados. Estes eram russos. Eles confessaram a participação em alguns roubos cometidos no exterior, mas alegaram ignorar os nomes dos chefes da facção internacional que os empregava.

De seus dois companheiros fugitivos, um era inglês. Eles se viam pela primeira vez, e o inglês não abrira a boca durante a reunião, o ferido devia ser ele. A descrição dele batia com a descrição do jovem que Victor tinha visto no hotel com Beamish.

Os três russos não disseram mais nada; eles agiam em parceria, visivelmente. Apenas um fato veio à tona, quarenta e oito horas depois. Um dos três russos fora concubino de Élise Masson, e recebia dinheiro de sua amante.

Uma carta de Élise Masson fora encontrada com ele, onde ela lhe escrevia um dia antes de sua morte:

O "velho d'Autrey" está fechando um grande negócio. Se tudo der certo, ele me levará, no dia seguinte, para Bruxelas. Você vai me encontrar lá, não é, querido? E na primeira oportunidade, fugiremos com toda a grana. Para isso, basta me amar!

AS APÓLICES DO GOVERNO

1

O incidente da Rua Marbeuf atormentou Victor. Ele não se importava que lhe encarregassem dos crimes do La Bicoque e da Rua de Vaugirard, pois esses dois dramas só o interessavam na medida em que se relacionavam com a atuação de Arsène Lupin. Mas que não tocassem nele! Ele era o troféu que o inspetor Victor, da Brigada Anticrime, reservava para si. Por isso, foi o inspetor Victor quem manteve o monopólio das operações policiais realizadas contra todos aqueles casos que envolviam mais especificamente Arsène Lupin e, principalmente, contra o inglês Beamish e a princesa Basileïef.

Essas considerações o levaram a acompanhar mais de perto o que estava acontecendo no Comando Geral da Polícia e a tentar descobrir o jogo de Mauléon.

Acreditando que nem Alexandra nem seu informante Beamish seriam imprudentes de saírem de seus aposentos, em um período tão perigoso para eles, foi que ele andou até a garagem vizinha, onde seu carro estava estacionado, deu a partida, foi até o canto isolado do parque, certo de que não tinha sido seguido, retirou da mala do carro os componentes e as vestimentas necessárias, blindou-se em sua estreitíssima túnica militar e voltou a ser o inspetor Victor, da Brigada Anticrime.

Diante das cordiais boas-vindas e do sorriso acolhedor do comissário Mauléon, Victor se sentiu humilhado.

— E então, Victor, o que trouxe de informação? Não muito, hein? Não, não, não estou lhe pedindo nada. Você é um sujeito solitário e taciturno, cada um faz do seu jeito. Eu ajo em pleno clarão, e isso me traz muitos ganhos. O que você tem a dizer sobre o meu arrastão no bar da Rua Marbeuf? Três elementos da gangue... e o chefe não tardará a se juntar a eles, juro por Deus! Se ele escapou dessa vez, por outro lado, existe um fio que amarra essa gangue a Élise Masson, e porque ela, do fundo de sua cova, acusa o barão d'Autrey. O senhor Gautier está contente.

— E o juiz de instrução?

— O senhor Validoux? Ele está retomando o entusiasmo. Vamos lá vê-lo. Ele vai informar ao barão d'Autrey sobre a terrível carta de Élise Masson... Você sabe: "O velho d'Autrey está fechando um grande negócio"... Hein! O que registrei como prova! É isso o que pesa na balança! Vamos lá, Victor...

Eles encontraram, efetivamente, o senhor d'Autrey e o vereador Géraume no gabinete do juiz. Victor ficou espantado ao ver o rosto do senhor d'Autrey que, se no momento da prisão já estava devastado, agora parecia ainda mais cavado e desgastado. Incapaz de se manter de pé, ele permaneceu prostrado em uma cadeira.

O ataque do senhor Validoux foi implacável. Ele leu a carta de Élise Masson de uma só vez e, imediatamente, diante do pavor do acusado, redobrou suas ameaças:

— O senhor sabe o que isso significa, não é, d'Autrey? Quer que façamos um resumo? Na noite de segunda-feira, o acaso lhe revela que as apólices do governo estão nas mãos do padre Lescot. Na quarta-feira à noite, um dia antes do crime, Élise Masson, com quem o senhor passa seus dias, Élise, de quem o senhor não guarda segredos, que é sua amante, mas que também é amante de um vigarista russo, Élise escreve para seu amante preferido: "O velho d'Autrey está fechando um grande negócio. Se der certo, ele e eu iremos para Bruxelas, etc." Na quinta-feira, o crime é cometido e as apólices são roubadas. E na sexta, o senhor e sua amiga são vistos perto da Gare du Nord, de malas prontas, as mesmas que encontramos, na casa de sua amiga, dois dias depois! A história não está clara e as evidências não são irrefutáveis? Confesse, d'Autrey. Para que negar essas evidências?

O barão dava a entender que ia desmaiar naquele momento. Seu rosto se transfigurou, ele balbuciou algumas palavras que só poderiam ser de uma confissão prestes a ser declarada. Exigindo a carta, ele disse:

– Mostre-me... eu me recuso a acreditar... quero ler com meus próprios olhos... – Leu, e depois gaguejou:– Aquela miserável! Um amante?! Ela que eu tirei da sarjeta!... E ela teria fugido com ele...

Ele só enxergava isso, a traição, o plano de fugir com outro. Quanto ao resto, ao roubo e ao crime, era possível dizer que lhe era indiferente ser acusado.

– O senhor confessa, não é, d'Autrey? Foi o senhor que matou o padre Lescot?

Ele não respondeu, agarrado novamente ao silêncio, como que esmagado pelas ruínas da paixão doentia que devotava a essa garota.

O senhor Validoux voltou-se para Gustave Géraume.

– Dado que o senhor participou, em alguma medida que ainda nos escapa...

Mas Gustave Géraume, que não parecia nada afetado pela prisão, que mantivera sua tez viçosa, protestou:

– Eu não participei de nada! À meia-noite, eu dormia em minha casa.

– No entanto, tenho diante de mim uma nova declaração do seu jardineiro Alfred. Não apenas ele afirma que o senhor chegou por volta das três horas, como também declara que, na manhã da sua prisão, o senhor lhe prometeu uma quantia de cinco mil francos se ele concordasse em dizer que o senhor havia retornado antes da meia-noite.

Gustave Géraume ficou consternado por um momento, depois exclamou sorrindo:

– Bem, sim, é verdade. Diabos! Eu estava farto de todos esses aborrecimentos, e quis abreviá-los.

– O senhor admite que essa é uma tentativa de corrupção que se soma a todas as demais acusações recolhidas contra a sua pessoa....

Géraume ficou sentado na frente do senhor Validoux:

– Então, eu tenho cara de assassino como aquele rostinho bonito do d'Autrey? E, como ele, eu sucumbo ao peso do remorso? – ele exibia um rosto ameno e feliz.

Victor interveio:

– Senhor juiz de instrução, o senhor me permite uma pergunta?

– Pode fazê-la.

– Gostaria de saber, dado o discurso que o indiciado acaba de proferir, se ele considera o barão d'Autrey culpado do homicídio do padre Lescot.

Géraume fez um movimento, pronto para expressar sua opinião. Mas mudando de ideia, limitou-se a dizer:

– Isso não é da minha conta. A Justiça que resolva!

– Eu insisto – disse Victor. – Se o senhor se recusa a responder, é porque a sua opinião se baseia nisso e tem motivos para não a revelar.

Géraume repetiu:

– Que a Justiça resolva!

À noite, Maxime d'Autrey tentou rachar a cabeça contra a parede de sua cela. Os policiais tiveram de lhe colocar uma camisa de força. Ele gritava:

– Uma miserável! Uma miserável! E é por causa dela que estou aqui... Ah! Que sujeira!...

2

– Quanto a esse daqui... ele se encontra no limite de suas forças – disse Mauléon a Victor. – Ele vai confessar antes de quarenta e oito horas. A carta que encontrei, de Élise Masson, teria precipitado o ocorrido.

– Sem dúvida – disse Victor. – E por meio dos três cúmplices russos, você chegará a Lupin.

Ele deixou as palavras saírem casualmente. Como o outro ficou em silêncio, ele repetiu:

– Com os russos, nada de novo?

Mas Mauléon fingia, em vão, que não dissimulava, mas também não abria a boca para contar seus planos.

"Ele está desconfiado" pensou Victor.

Agora eles se espreitavam preocupados e desconfiados, como dois homens cujo destino está em jogo, e um deles poderia se ver privado, pelo outro, de todo o fruto de seu trabalho.

Juntos, eles passaram um longo dia em Garches, dividindo seu tempo entre as esposas dos dois acusados.

Para sua surpresa, Victor encontrou uma Gabrielle d'Autrey mais corajosa e um pouco mais áspera do que imaginava. Teria sido a fé o grande amparo dessa mulher, tão apegada a seus deveres religiosos, familiarizada com a Igreja, e cujos hábitos de caridade foram destacados na investigação? Ela não se escondia mais como no início. Após dispensar a criada, ela mesma fazia as compras, com a cabeça erguida, sem se importar com as marcas roxas e amarelas deixadas pelos inexplicáveis golpes do marido.

– Ele é inocente, comissário – ela repetia sem parar. – Tenho de reconhecer que ele foi dominado por essa mulher vil, mas ele me amava profundamente... Sim, sim, eu digo... profundamente... talvez, até mais do que antes.

Victor a analisava. O rosto corado da esposa exteriorizava sentimentos inesperados, o orgulho, o triunfo, a segurança, a ternura inocente pelo marido, culpado de alguns pecadilhos, mas que, mesmo assim, continuava sendo o companheiro de sua vida.

Com Henriette Géraume, o mistério também era perturbador. Henriette se consumia em indignação, em uivos de raiva, em discursos inflamados, em desolação, em insultos.

– Gustave? Ele é a encarnação da bondade e da honestidade, inspetor! É de uma índole excepcional. E depois, tenho certeza de que ele não saiu de perto de mim a noite toda! Sim, é certo, no começo o ciúme me levou a dizer coisas...

Qual das duas estava mentindo? Nenhuma? Ambas? Victor se entusiasmava com esse trabalho de observação, onde ele se destacava, e percebeu que, aos poucos, alguns componentes de verdade iam se desembaraçando, em torno dos quais os fatos se reorganizavam por conta própria. Por último, resolveu ir ao apartamento da Rua de Vaugirard, mas sozinho, pois era especialmente ali que as buscas poderiam levar Mauléon até Alexandra e até Lupin. E foi ali também onde a escuridão permaneceu mais impenetrável.

Dois policiais vigiavam a porta. Assim que a abriu, Victor viu Mauléon remexendo os armários.

– Aqui está! – exclamou o comissário em tom abrupto. – Você também teve a mesma ideia de que poderia haver algo por aqui, hein? Ah! A propósito, um de meus inspetores disse que no dia do crime, quando viemos para cá, havia uma dezena de fotos amadoras. Ele acha que se lembra de você tê-las examinado.

– Engano dele – disse Victor indiferente.

– Outra coisa. Élise Masson sempre usava em casa um lenço laranja e verde, aquele que sem dúvida serviu para estrangulá-la. Você não o teria visto, por acaso?

Ele fixava os olhos em Victor, que replicou com a mesma naturalidade:

– Não o vi.

– Ela não o estava portando, algumas horas antes, quando você acompanhava o barão?

– Não percebi. O que ele diz sobre isso?

– Nada.

O comissário resmungou:

– Estranho.

– O que é estranho?

– A quantidade de máquinas. Então?

– Então, o quê?

– Você não desenterrou nenhuma amiga da Élise Masson?

– Uma amiga?

– Falaram-me sobre uma senhorita, Armande Dutrec. Você a conhece?

– Não.

– Foi um dos meus homens que a encontrou. Ela disse que já havia sido interrogada por um policial. Pensei que fosse você.

– Não fui eu...

A presença de Victor visivelmente irritava Mauléon. Sem que Victor se afastasse, Mauléon formulou afinal:

– Vão me trazê-la em breve.

– Quem?

– A senhorita... Quieto, ouço passos!

Victor não se mexeu. Suas artimanhas, para evitar que seus colegas pusessem as mãos nessa parte do caso, seriam descobertas? E Mauléon, conseguiria entrever a verdadeira personalidade da mulher do Cine Balthazar?

Se Mauléon, quando a porta foi aberta, tivesse espiado Victor em vez de olhar para a jovem, tudo estaria perdido, mas ele teve essa ideia tarde demais. Com um piscar de olhos, Victor pediu para que a jovem ficasse calada. No início ela ficou surpresa, permaneceu indecisa, depois entendeu.

A partir daí, o jogo estava ganho. As respostas foram vagas.

– Certamente que sim, conheci a pobre Élise. Mas ela nunca se abriu para mim, não sei nada sobre ela e sobre as pessoas que ela recebia. Um lenço laranja e verde, fotografias? Também não sei nada a respeito.

Os dois policiais retomaram o caminho do Comando Geral da Polícia. Mauléon se manteve em um silêncio colérico. Quando chegaram, Victor disse com uma voz animada:

– Adeus. Estou indo embora amanhã.

– Como?

– Sim, vou para o interior... encontrei uma pista interessante, e tenho esperanças.

– Esqueci de lhe dizer – disse Mauléon – que o diretor gostaria de lhe falar.

– Sobre o quê?

– Sobre o motorista... aquele que levou d'Autrey da Gare du Nord à Gare Saint-Lazare. Nós o encontramos.

– Caramba! – resmungou Victor –, você poderia ter me prevenido...

3

Ele subiu voando as escadas, anunciou-se e, seguido por Mauléon, entrou no escritório do diretor.

– Parece, chefe, que o motorista foi encontrado.

– Como assim? Mauléon não lhe contou? Foi somente hoje que esse motorista viu, em um jornal, a fotografia de d'Autrey, e que leu que a polícia estava à procura do motorista que havia levado o barão de uma estação à outra, na sexta-feira, um dia após o crime. Por sorte, ele veio se apresentar. Fizemos uma acareação entre ele e d'Autrey, e ele o reconheceu formalmente.

– Mas o senhor Validoux o interrogou? D'Autrey foi conduzido sem tomar nenhum desvio?

– Sim.

– Então, ele saiu do caminho?

– Não.

– Não?

– Ele foi levado da Gare du Nord até a Étoile, e da Étoile até a Gare Saint-Lazare, o que foi entendido como um desvio desnecessário.

– Não, não é desnecessário – sussurrou Victor. Em seguida, perguntou: – Onde está esse motorista?

– Aqui, na repartição. Como você me disse que gostaria de vê-lo, e que duas horas depois nos daria as apólices, eu o mantive aqui.

– Desde que chegou, ele falou com mais alguém?

– Ninguém, além do senhor Validoux.

– E ele não contou a ninguém, no Comando Geral da Polícia, sobre seus passos?

– A ninguém.

– Como ele se chama?

– Nicolas. É um pequeno locatário, só é dono desse carro... Ele veio com... Ele está no pátio.

Victor ficou pensando. Seu chefe o observava, assim como Mauléon, ambos curiosos, tão curiosos que o senhor Gautier exclamou:

– Essa história então é mesmo séria, Victor?

– Sem dúvida.

– Tem certeza?... Pode nos esclarecer?

– Tanto quanto podemos ter certeza, chefe, quando nos baseamos em um raciocínio.

– Ah! Trata-se apenas de raciocínio?

– Na polícia, chefe, todas as nossas ações dependem do raciocínio... ou do acaso.

– Chega de conversa, Victor. Explique-nos.

– Algumas poucas palavras bastarão. – E, calmamente, explicou: – Seguimos as apólices, sem altercações, de Estrasburgo até o La Bicoque, isto é, até a noite em que d'Autrey as meteu no bolso. Vamos pular a programação de d'Autrey naquela noite; tenho minhas convicções a respeito e as contarei em breve, chefe. Em todo caso, na manhã de sexta-feira, d'Autrey chega à casa de sua amante, com seu roubo. As malas estão prontas. Os dois fugitivos vão até a Gare du Nord, esperando a hora do trem e, de repente, por motivos ainda desconhecidos, mudam de ideia e desistem de partir. São cinco e vinte e cinco da tarde. D'Autrey manda sua amante de volta para casa com a bagagem dela, e pega um carro que o levará à estação Saint-Lazare, às seis horas. Naquele momento ele soube, pelo jornal que comprou, que era suspeito e que a polícia provavelmente estava de sentinela na estação de Garches. Ele chegaria com as apólices? Não. Sobre isso, nenhuma dúvida. Então, foi entre cinco e vinte e cinco e seis horas que ele colocou o roubo em segurança.

– Mas como, se o carro não parou em lugar nenhum?

– É aí que ele escolherá um dos dois métodos a seguir: ou se entender bem com o motorista e dar-lhe o pacote...

– Impossível!

– Ou deixar o pacote no carro.

– Impossível!

– Por quê?

– Porque o primeiro que chegasse o teria levado! Não se deixa um milhão no banco de um carro!

– Não. Mas se pode esconder o dinheiro dentro do carro.

O comissário Mauléon explodiu de rir.

– Que exagero, Victor!

O senhor Gautier refletiu, e perguntou:

– Esconder como?

– Descosturando dez centímetros da borda de uma almofada, por baixo. Depois costura-se de novo, e pronto!

– Mas isso demanda tempo.

– Precisamente, chefe. Essa é a razão pela qual d'Autrey fez o que o senhor chamou de um desvio desnecessário. E ele voltou a Garches, muito calmo diante de um esconderijo perfeito, e decidiu pegar de volta as apólices imediatamente após o período crítico.

– No entanto, ele sabia que era suspeito.

– Sim, mas ele desconhecia a gravidade das alegações que pesavam contra ele, e não previu que o caso evoluiria com velocidade.

– E?

– O carro do motorista Nicolas está no pátio. Encontraremos as apólices lá.

Mauléon deu de ombros, zombando. Mas o diretor, bastante impressionado com a explicação de Victor, mandou chamar o motorista Nicolas.

– Leve-nos até o seu carro.

Era um velho sedan desbotado, amassado, cheio de buracos, e que deve ter participado da vitória na batalha do Marne[2].

– Devemos ligá-lo? – disse o motorista Nicolas.

– Não, meu amigo.

Victor abriu uma das portas, apanhou a almofada da esquerda, virou-a e examinou-a. Depois fez o mesmo com a almofada da direita.

Abaixo dessa almofada à direita, ao longo da borda feita de couro, o tecido apresentava algo de anormal sobre um comprimento de cerca de

---

[2] Vitória franco-britânica sobre a Alemanha, ocorrida na Primeira Guerra Mundial. (N.T.)

dez centímetros. Via-se uma remenda feita com um fio mais escuro que o cinza-escuro original, uma remenda irregular, mas firme e com pontos de costura bem unidos uns aos outros.

– Céus! – murmurou o senhor Gautier. – Na verdade, parece que...

Victor pegou seu canivete, cortou os fios e, deliberadamente, alargou a fenda. Depois, deslizou os dedos pelo estofamento e começou a procurar. Ao final de quatro ou cinco segundos, ele sussurrou:

– Consegui. Cheguei lá.

Com facilidade, ele foi capaz de extrair um pedaço de papel, ou melhor, uma carta. Deixou escapulir um grito de raiva.

Era uma carta de Arsène Lupin, escrita com estas palavras:

Minhas desculpas e meus cumprimentos.

Mauléon se contorceu em um ataque de riso, e balbuciou com malícia:

– Meu Deus, que piada! O velho artifício do nosso amigo Lupin está de volta! Hein, Victor, um pedaço de carta em vez de notas de cem mil francos! Maldito caso! Como vamos nos divertir! Victor, da Brigada Anticrime, você é absolutamente ridículo.

– Não compartilho da mesma opinião que você, Mauléon – objetou o senhor Gautier. – O acontecimento prova, ao contrário, que Victor teve clarividência e intuição notáveis, e estou certo de que o público pensará como eu.

Victor disse bem calmamente:

– O episódio prova também, chefe, que Lupin é um sujeito durão. Se eu tive "clarividência e intuição notáveis", imagina ele que sempre esteve um passo à minha frente e que não contava, como eu, com todos os recursos da polícia!

– Espero que não esteja abandonando o barco!

Victor sorriu.

– Esse caso não dura mais do que duas semanas, chefe. Mexa-se, comissário Mauléon, antes que eu perca minha educação.

Victor uniu os calcanhares, prestou continência a seus dois superiores, deu meia-volta e foi embora, com o seu andar rígido e artificial. Jantou em casa e teve um sono tranquilo até a manhã seguinte.

Os jornais relataram o episódio, com mil detalhes, evidentemente fornecidos por Mauléon, e que corroboravam, em grande parte, a opinião do diretor sobre a notável façanha de Victor, da Brigada Anticrime.

Mas, por outro lado, como Victor previra, houve uma explosão de elogios a Arsène Lupin! Choveram opiniões entusiasmadas sobre esse fenômeno de análise e de inteligência, sobre a imprevisível imaginação do célebre aventureiro, sobre a nova diabrura desse grande farsante.

"Ora!" Victor murmurou ao ler essas elucubrações, "vamos reduzir Lupin a pó."

No final do dia, tomou-se conhecimento do suicídio do barão d'Autrey. O desaparecimento das apólices, dessa fortuna que ele esperava desfrutar como compensação por seus tormentos presentes, acabou por destruí-lo. Deitado na cama, de frente para a parede, ele cortou pacientemente as veias do pulso com um pedaço de vidro, e deixou-se esvair sem se mexer, sem reclamar.

Era a confissão esperada. Mas será que essa confissão lançava alguma luz sobre os crimes do La Bicoque e da Rua de Vaugirard?

O público pouco se perguntou a respeito. Todos os holofotes estavam agora voltados, mais uma vez, para Arsène Lupin e como ele escaparia das investidas do inspetor Victor, da Brigada Anticrime.

Victor subiu no carro, voltou ao parque, tirou a apertada túnica, vestiu o elegante e sóbrio terno do peruano Marcos Avisto, e foi ao Hotel Cambridge, onde recuperou seu quarto. Impecável em seu *smoking* bem cortado, com a lapela florida, jantou no restaurante.

Ele não viu a princesa Alexandra, ela nem mesmo apareceu no saguão. Mas, por volta das dez horas, após voltar para o seu quarto, recebeu um telefonema.

– Senhor Marcos Avisto? Aqui quem fala é a princesa Alexandra Basileïef. Se o senhor não tiver nada melhor para fazer, meu caro senhor, e se isso não o entediar demais, venha ter comigo. Será um grande prazer revê-lo.

– Agora?

– Agora.

OS CÚMPLICES

1

Victor esfregou uma palma da mão contra a outra.

"Foi dada a partida! O que ela quer de mim? Vou me deparar com uma mulher preocupada, assustada, ávida por socorro e em quem se pode confiar? Pouco provável. Estamos apenas na segunda etapa, e provavelmente haverá ainda uma terceira, e até uma quarta, antes que eu alcance meu objetivo. Mas não importa! O principal é que ela sentiu a necessidade de me ver. Quanto ao resto, tudo virá em seu tempo."

Ele se olhou no espelho, endireitou o nó da gravata e suspirou:

"Que pena! Um velho cavalheiro de sessenta anos... Bem, os olhos são expressivos e o peitoral continua preenchendo a armadura. Mesmo assim, sessenta anos..."

Ele enfiou a cabeça pelo corredor e caminhou até o elevador. De frente para a porta do quarto da princesa, virou-se rapidamente. Ela estava entreaberta, ele entrou.

Uma pequena antessala, depois o *boudoir*[3]. Na entrada, Alexandra estava de pé esperando por ele. Ela estendeu-lhe a mão, sorrindo, como faria com um perfeito cavalheiro em uma sala de estar.

– Obrigada por ter vindo – disse ela, fazendo-o sentar-se.

Ela vestia um robe de seda branca, bem cavado, e que deixava seus braços e belos ombros descobertos. Seu rosto não era aquele ligeiramente patético e fatal que oferecia ao público. Não havia nela arrogância nem indiferença, mas uma preocupação de agradar, de ter a expressão amável, gentil e amigável de uma mulher que de repente nos admite em sua intimidade.

O *boudoir* era como o de todos os grandes palácios. No entanto, ele misturava uma atmosfera de elegância que vinha de uma luz suave, de algumas bugigangas caras, de alguns livros bem encadernados e de um doce cheiro de tabaco estrangeiro. Em uma mesa de pedestal, ao lado, os jornais.

Ela disse ingenuamente:

– Estou um pouco envergonhada...

– Envergonhada?

– Eu o fiz vir até aqui, e não sei bem por quê...

– Mas eu sei – ele disse.

– Ah! E por quê?

– A senhora está entediada.

– De fato – ela disse –, mas o tédio de que o senhor fala, e que é o mal da minha vida, não é um tédio que possa ser dissipado pela conversa.

– É um tédio que cede apenas à violência dos atos e na proporção dos perigos incorridos.

– Não há nada que o senhor possa fazer por mim?

– Sim.

– Como?

Ele brincou:

---

[3] Pequena e elegante sala onde a proprietária se refugia para ficar a sós ou para receber amigos mais íntimos. (N.T.)

– Posso empilhar sobre os seus ombros os perigos mais terríveis e desencadear catástrofes e tempestades. – Ele se aproximou dela e, com uma voz ainda mais grave: – Mas será que compensa? Quando penso na senhora, e penso com frequência, pergunto-me se toda a sua vida não seria um perigo interminável.

Pareceu-lhe que ela corava ligeiramente.

– O que o faz supor isso?

– Dê-me sua mão...

Ela ofereceu-lhe a mão. Ele examinou a palma dela por um longo tempo, debruçando-se sobre ela, e disse:

– Foi o que pensei. Por mais complexa que a senhora possa parecer, sua natureza é fácil de ser compreendida, e o que eu já sabia através dos seus olhos e do seu comportamento, tenho aqui a prova pelas simples linhas da sua mão. É estranha essa combinação de ousadia e de fragilidade, essa busca contínua pelo perigo e por essa necessidade de proteção. A senhora gosta da solidão, mas há momentos em que a solidão lhe assusta, e que a senhora apelaria a qualquer um para defendê-la dos pesadelos criados por sua imaginação. Assim, tudo na senhora é contradição, sua calma e seu ardor, sua razão que é sã e seus instintos que são violentos, sua frieza e sua sensualidade, seus desejos de amor e seu desejo de independência. – Ele soltou-lhe a mão.

Ela deu um passo atrás.

– Não estou enganado, estou? A senhora é tal como eu a vejo.

Ela desviou o olhar, perturbada pela visão penetrante que atingiu em cheio o segredo da sua alma. Acendeu um cigarro, endireitou-se e, mudando de conversa, apontou para os jornais e disse, em um tom tão preciso que ele entendeu que era lá aonde ela queria chegar:

– O que o cavalheiro acha de todo esse negócio de apólices?

Primeira alusão, entre eles, à aventura que, sem dúvida, tanto para um quanto para o outro, constituía a própria realidade de seus pensamentos e de suas preocupações. Com que emoção contida Victor a seguiu por este terreno!

Tão indiferente quanto ela, respondeu:

– Uma história bem sombria...

– Muito sombria – ela concordou. – Apesar disso, há alguns fatos novos.

– Novos?

– Sim. Por exemplo, o suicídio do barão d'Autrey é uma confissão.

– A senhora tem certeza disso? Ele se matou porque sua amante o traiu e porque ele não tinha mais esperança em recuperar seu dinheiro. Mas foi ele quem matou o padre Lescot?

– Quem o teria matado?

– Um cúmplice.

– Um cúmplice?

– O homem que fugiu pela porta, que tanto podia ser Gustave Géraume, quanto o amante dessa mulher que escapou pela janela.

– O amante dessa mulher?

– Sim, Arsène Lupin.

Ela objetou:

– Mas Arsène Lupin não é um criminoso... Ele não mata...

– Ele pode ter sido obrigado... para se salvar.

Apesar do esforço que ambos faziam para se controlar, a conversa, que continuou em tom desprendido, aos poucos foi ganhando toda a sua dramaticidade, e na qual Victor deleitava-se profundamente. Ele não a olhava, mas calculou que ela tremia e sentiu o apaixonado interesse em sua pergunta:

– O que o cavalheiro pensa dessa mulher?

– A mulher do cinema?

– O senhor acha que é a mesma mulher que estava no cinema e no La Bicoque?

– Claro!

– E que foi vista na escada da Rua de Vaugirard?

– Sim.

– Então, o senhor supõe...?

Ela não chegou a concluir a pergunta. As palavras devem ter sido intoleráveis de se pronunciar. Foi Victor quem terminou:

– Então, podemos supor que foi ela quem matou Élise Masson.

Falava como um homem que lançava uma hipótese, e a frase caiu no silêncio, quando foi possível ouvir quem suspirava. Ele continuou, com a mesma entonação desprendida:

– Não entendo essa mulher com muita clareza... Ela me surpreende pela sua falta de jeito, parece uma principiante. E depois, é muita estupidez matar por nada... Porque afinal, se ela matou, foi para roubar as apólices, mas Élise Masson não as tinha, de maneira que esse crime foi absurdo e estúpido, como tudo aquilo que é inútil. Na verdade, essa mulher não é muito interessante...

– E em que esse caso lhe interessa?

– Dois homens. Os dois homens de verdade; não um d'Autrey, ou um Géraume, ou o policial Mauléon. Não! Dois homens seguros de si, que seguem seu caminho sem erros e sem blefe, e só se reencontrarão no final: Lupin e Victor.

– Lupin?

– Ele é o grande mestre, é admirável a maneira como ele corrigiu o erro de Vaugirard, reencontrando as apólices. Em Victor, a mesma maestria, já que ele também chegou ao esconderijo dentro do carro.

Ela formulou:

– O senhor acha que esse homem vai levar a melhor sobre Lupin?

– Eu acredito nisso, honestamente acredito nisso. Já acompanhei a obra desse homem em outras ocasiões pelos jornais, ou pelo relato de pessoas que se envolveram com ele. Lupin nunca precisou se defender de ataques soturnos, dissimulados, obstinados e implacáveis, mas Victor não vai desistir dele.

– Ah! O senhor acha? – ela sussurrou.

– Sim. Ele deve estar mais adiantado do que se imagina. Deve estar no encalço dele.

– O comissário Mauléon também?

– Sim, a situação não é nada boa para Lupin. Vão capturá-lo.

Ela permaneceu em silêncio, com os cotovelos apoiados nos joelhos. No final, tentando sorrir, ela sussurrou:

– Isso seria uma pena.

– Sim – ele disse – Lupin a cativa, como a todas as mulheres.

Ela disse, ainda mais baixinho:

– Todos aqueles que têm uma existência à parte me cativam. Este... todos os outros... devem experimentar fortes emoções.

– Mas não, não! – exclamava ele, rindo. – Não acredite nisso. Essas são emoções com as quais todos se acostumam, acaba-se agindo com a mesma calma de um corajoso amador jogando baralho. Claro que existem momentos tensos, mas são raros. Quase sempre, na medida em que se dão as cartas, tudo corre bem. Assim me disseram. – Ele fez uma pausa e levantou-se, prestes a partir. – Perdoe-me... estou abusando do seu tempo.

Ela o reteve, subitamente animada e curiosa:

– Assim lhe disseram?

– Oh! Não é nada, não...

– Sim, conte-me!

– Não, eu lhe garanto... Trata-se de um infeliz bracelete... Bem, pelo que me disseram, eu só teria de apanhá-lo, sem emoção... Um simples passeio.

Ele ia abrir a porta, ela o agarrou pelo braço. Ele se virou, e ela perguntou, com olhar audacioso, com todo o acinte de uma mulher que não admite uma recusa:

– Quando é a caminhada?

– Por quê? A senhora quer participar?

– Sim, eu quero, estou tão entediada!

– E essa seria uma distração? Em todo caso, vou ver... vou tentar. – Em seguida, ele disse: – Depois de amanhã, às duas horas, Rua de Rivoli, na Praça Saint-Jacques. – Sem esperar pela resposta, retirou-se.

2

Ela chegou na hora marcada ao encontro. Ao vê-la se aproximando, ele sussurrou:

– Você, minha pequena, come nas minhas mãos. E de grão em grão, chegarei ao teu amante.

O ar de menina, alegre, impaciente para agir, feliz como se estivesse indo a uma festa divertida, revelava uma transformação, sem que ela tivesse se disfarçado. Um vestidinho de lã cinza, bem curto, com uma boina presa, que mal deixava ver seus cabelos... Nada nela chamava atenção, ela não carregava mais o porte de uma grande dama, e sua estonteante beleza tornou-se subitamente discreta, atenuada, como que encoberta por um véu.

Victor perguntou:

– Decidida?

– Sempre decidida a fugir de mim mesma.

– Primeiro, algumas palavras para explicar o plano – disse ele.

– Isso é necessário?

– Nem que seja para acalmar suas incertezas.

– Eu não as tenho – disse ela com gaiatice. – Só temos de dar um simples passeio, não é? E pegar... não me lembro mais o quê.

– Exatamente. Durante a caminhada, visitaremos um bom homem que, na realidade, exerce a feia profissão de receptador. Anteontem, entregaram-lhe um bracelete roubado, que ele está tentando revender.

– E que o senhor não pretende comprar.

– Não. Ademais, ele vai dormir, ele é daqueles que mantém uma rotina: almoça no restaurante, volta para casa para um cochilo das duas até às três da tarde. Sono pesado, nada o acordaria. A certeza de que a visita não representa nenhum perigo.

– Que pena! Onde mora o seu dorminhoco?

– Venha.

Eles deixaram para trás o pequeno jardim. Cem passos adiante, ele a fez entrar em seu carro, estacionado na calçada de modo a que Alexandra não pudesse ver a placa.

Eles seguiram a Rua de Rivoli, viraram à esquerda e entraram em um labirinto de ruas por onde ele avançava sem hesitar. O carro era baixo, e o teto não permitia que o nome dessas ruas fosse lido.

– O senhor desconfia de mim – disse ela –, não quer que eu saiba para onde está me levando. Todas as ruas desse desagradável bairro são desconhecidas para mim.

– Não são ruas, são estradas maravilhosas, em pleno campo, em florestas magníficas, e estou levando a senhora rumo a um extraordinário castelo.

Ela sorriu:

– O senhor não é peruano, é?

– Claro que não!

– Francês?

– De Montmartre.

– Quem é o senhor?

– O motorista da princesa Basileïef.

O carro parou na frente de um portão angular, e eles desceram.

Um grande pátio interior pavimentado, com um aglomerado de árvores ao centro, formava um grande retângulo ladeado por casas antigas, onde cada escadaria era marcada por uma letra. Escadaria A... Escadaria B...

Eles subiram a escadaria F. Seus passos ecoaram nas lajes de pedra, não esbarraram com ninguém. Em cada andar, uma única porta, tudo em ruínas e malconservado.

No quinto e último andar, que tinha um teto rebaixado, Victor tirou do bolso um molho de chaves falsas e um pedaço de papel que continha a planta da residência, e por onde mostrou à sua companheira a localização de quatro pequenos aposentos.

Ele não teve problemas em forçar a fechadura, e abriu a porta sem fazer barulho.

– A senhora está com medo? – ele sussurrou.

Ela deu de ombros. No entanto, ela não sorria mais. Seu rosto readquirira a palidez de sempre.

Uma antessala, com duas portas à frente. Ele apontou para a da direita e sussurrou:

– Ele está dormindo aqui.

Ele entreabriu a outra, da esquerda, e entraram em um pequeno aposento, parcamente mobiliado com quatro cadeiras e uma escrivaninha, separado do outro quarto por uma fenda estreita que escondia uma cortina.

Ele abriu um pouco essa cortina, olhou, e fez sinal para a jovem também olhar.

Na parede oposta, um espelho refletia um sofá-cama onde um homem, cujo rosto não podia ser visto, estava descansando. Ele se debruçou sobre ela e lhe disse ao ouvido:

– Fique aqui. Ao menor gesto dele, avise-me.

Ele tocou em uma de suas mãos, que estava congelada. Os olhos, fixos no homem adormecido, brilhavam de agitação.

Victor recuou até a escrivaninha, mas demorou para arrombá-la. Várias gavetas apareceram na frente dele. Ele remexeu e encontrou o bracelete, dobrado em papel de seda.

Naquele momento, ouviu-se um ligeiro ruído ao lado, o som de algo se chocando no piso. Alexandra deixara cair a cortina e cambaleara. Aproximando-se, ele a ouviu sussurrar:

– Ele se mexeu... Ele está acordando...

Ele colocou a mão na pistola de bolso. Ela se jogou em cima dele, transtornada, e agarrou seu braço, gemendo:

– O senhor está louco! Isso, não, nunca!

Ele pousou as mãos sobre sua boca.

– Então, fique quieta... ouça...

Eles não ouviram nenhum outro barulho. A respiração do dorminhoco voltou a marcar o enorme silêncio. Ele puxou sua companheira em direção à saída. Passo a passo, eles iam recuando. Do momento em que entraram, ao momento em que fecharam a porta, não se passaram nem cinco minutos.

Do alto da escadaria, ela respirou fundo e, reerguendo seu longilíneo corpo, que parecia ter se curvado, desceu tranquila.

De volta ao carro, a reação começou a se manifestar, seus braços enrijeceram, e seu rosto ficou tenso. Ele pensou que ela fosse chorar, mas ela ficou aliviada depois de dar uma risadinha desconexa, e disse, enquanto ele mostrava o bracelete:

– Ele é belíssimo, feito apenas de esplêndidos diamantes. Um bom negócio para o senhor... Meus cumprimentos!

O tom era irônico. De repente, Victor a sentiu distante, como uma estranha, quase uma inimiga. Com um sinal, ela pediu para que ele parasse e o deixou sem dizer uma palavra. Havia um ponto de táxis ali, e ela embarcou em um.

Ele voltou ao antigo bairro de onde vinha, cruzou novamente o grande pátio e subiu novamente a escada F. No quinto andar, tocou a campainha.

Seu amigo, o inspetor Larmonat, abriu a porta.

– Bom trabalho, Larmonat – disse Victor feliz. – Você é um dorminhoco de primeira linha, e seu apartamento foi perfeito para essa pequena encenação. Mas o que foi que caiu, naquela hora?

– Meu monóculo.

– Um pouco mais, e eu lhe acertava uma bala na cabeça! Mas essa possibilidade pareceu assustar a bela dama. Ela pulou em cima de mim, mesmo correndo o risco de lhe acordar.

– Ela não quer que um crime aconteça, certo?

– A menos que a lembrança da Rua de Vaugirard a apavore, e que essa experiência baste para ela.

– Você acredita realmente nisso?

– Eu não acredito em nada – disse Victor. – O que vou desvendando nela ainda me deixa bastante indeciso. Assim, aqui estamos nós, cúmplices, ela e eu, como eu queria. Trazendo-a aqui, comigo, vou me aproximando do meu objetivo. Bem, eu deveria ter prometido uma parte para ela do roubo; era minha intenção, mas não pude. Eu teria de admitir que esta mulher é uma ladra. Não posso nem imaginar... Toma, leve este bracelete de volta e agradeça ao joalheiro que o emprestou para você.

Larmonat se divertia.

– Você se vale de cada artimanha!

– É necessário. Com um sujeito como esse Lupin, é necessário recorrer a artimanhas bem especiais.

No Hotel Cambridge, antes do jantar, Victor recebeu um telefonema de Larmonat.

– Fique de olhos bem abertos, parece que o comissário Mauléon tem indícios sobre a fuga do inglês... Estão preparando algo... Vou lhe manter informado.

3

Victor continuou ansioso. O caminho que escolhera o obrigava a avançar com muita cautela, passo a passo. Caso contrário, toda a gangue ligaria o sinal de alerta. Mauléon, ao contrário, não tomava precauções: com a pista à vista, ele correria direto para o inimigo. Porém, com o inglês capturado, era Lupin que correria perigo, Alexandra estaria comprometida, e todo o caso escaparia de suas mãos.

Passaram-se desagradáveis quarenta e oito horas. Os jornais não faziam nenhuma alusão ao alerta enviado por Larmonat. Porém, esse último comunicou que, se não tinha mais informações, alguns detalhes confirmavam sua primeira impressão.

O inglês Beamish permaneceu invisível. Não saiu do quarto, supostamente imobilizado por uma entorse.

Quanto à princesa Basileïef, ela apareceu apenas uma vez no saguão, depois do jantar. Ela fumava, imersa na leitura de revistas ilustradas. Mudou de lugar e não cumprimentou Victor que, ademais, apenas a espreitava.

Ela não lhe parecia preocupada, mas por que não se recolhia? Seria para revelar a Victor que, se ela não o cumprimentava nem falava com ele, ainda assim estava lá, pronta para restabelecer contato? Claro que ela não suspeitava de que os acontecimentos a ameaçavam seriamente, mas tinha de sentir no seu entorno, com sua intuição feminina, esse sopro de perigo. O que a segurava nesse hotel? E qual motivo também segurava o inglês Beamish ali? Por que os dois não procuravam um esconderijo mais seguro? Por que, acima de tudo, eles não se separaram?

Talvez ela estivesse esperando por aquele desconhecido que Victor notara, certa noite, na companhia do inglês, e que era, e não poderia deixar de ser, senão Arsène Lupin?

Ele queria ir até ela e dizer: "Vá embora! A situação é muito grave!"

Mas o que ele responderia se ela lhe perguntasse:

"Grave para quem? O que tenho a temer? Em que a princesa Basileïef pode ser importunada? O inglês Beamish? Não o conheço."

Victor esperou. Ele também não saiu do hotel que, de qualquer modo, era o lugar da batalha, caso o inimigo decidisse não recuar e caso o comissário Mauléon fosse capaz de chegar até aqui. Ele não parava de conjecturar; a cada instante, revia o caso por inteiro, procurando analisar as soluções que deixara para trás, e as confrontando com o que sabia sobre Alexandra, sobre sua conduta e sobre sua natureza.

Ele almoçou em seu quarto e divagou por um longo tempo. Depois disso, debruçado do alto de sua varanda sobre a avenida, avistou a silhueta familiar de um de seus colegas do Comando Geral da Polícia. Um outro vinha na direção oposta. Eles se sentaram em um banco, em frente ao Hotel Cambridge, e não trocaram uma única palavra. Estavam de costas um para o outro, mas nunca tiravam os olhos do peristilo do hotel. Dois outros inspetores se instalaram do lado oposto da calçada, e dois outros ainda mais adiante. Ao todo, eram seis. O cerco começava.

Surgiu um dilema para Victor: ou bem ser de novo Victor, da Brigada Anticrime, denunciar o inglês, e chegar sem muitos desvios a Arsène Lupin, embora assim, decerto, desmascararia também Alexandra, ou bem...

"Ou bem o quê?", pensou consigo mesmo em voz baixa. Não tomar partido de Mauléon era o mesmo que ficar do lado de Alexandra e de lutar contra ele. "Por que eu faria isso? Para eu resolver o caso por mim mesmo e para, sozinho, alcançar Arsène Lupin?"

Há momentos em que é melhor não pensar e se deixar levar pelo instinto sem saber para onde ele o conduz. O mais importante era se embrenhar no centro da operação e conservar toda a liberdade de ação comandada pelas oscilações da batalha. Debruçando-se novamente, viu o inspetor Larmonat saindo de uma rua vizinha e caminhando em direção ao hotel.

O que ele estava fazendo ali?

Larmonat observou seus colegas ao passar pelo banco onde estavam sentados. Fizeram, entre eles, um leve sinal com a cabeça.

Então, sempre caminhando como que a passeio, Larmonat atravessou a calçada e entrou no hotel.

Victor não hesitou. Seja lá o que Larmonat estivesse fazendo, era preciso ir falar com ele. Pela lógica, inclusive, Larmonat devia prever esse encontro. Ele desceu.

A hora do chá se aproximava. Muitas mesas já estavam ocupadas. No saguão e nos amplos corredores que as cercavam, as pessoas circulavam em número grande demais para que Victor e Larmonat pudessem se encontrar sem serem vistos.

— E então?

— O hotel está cercado.

— O que se sabe?

— Temos quase certeza de que o inglês está aqui depois do ataque no bar.

— E a princesa?

— Não estão dando bola para ela.

— Lupin?

— Não estão dando bola para ele.

— Sim, até uma segunda ordem. E você veio para me avisar?

— Estou de serviço.

— Então, vamos!

— Faltava um homem. Eu fazia a ronda ao lado de Mauléon, ele me enviou para cá.

— Ele está chegando?

— Olha quem está falando com o porteiro.

— Diabos! Vai ter barulho.

— Somos doze no total. Você deveria ir embora, Victor. Ainda dá tempo.

— Você é louco!

— Você será interrogado... E se ele o reconhece como Victor?

— E daí? — Victor disfarçou-se de peruano e fez seu trabalho como inspetor no hotel justamente onde a polícia investigava. — Não se preocupe comigo. Vá buscar informações...

Larmonat correu para o vestíbulo da entrada, juntou-se a Mauléon e o seguiu até o escritório da direção do hotel, assim como um suboficial que chegava, vindo de fora.

Passaram-se apenas três minutos, quando Larmonat reapareceu e virou-se na direção de Victor. Trocaram apenas algumas palavras.

— Estão examinando o registro do hotel, listando o nome dos ingleses que se hospedam sozinhos e também o nome de todos os estrangeiros.

— Por quê?

— O nome do cúmplice de Lupin não é conhecido e não é absolutamente certo de que ele seja inglês.

— O que farão em seguida?

— Em seguida os convocaremos, um após o outro, ou vamos até a casa deles e examinamos seus documentos. Você provavelmente será interrogado.

— Meus documentos estão em ordem... até além da conta. E se alguém quiser sair?

— Seis homens estarão de guarda. Os suspeitos são levados à direção do hotel, um inspetor faz a escuta das conversas telefônicas. Tudo é feito com calma, sem escândalos.

— E você?

— Existe uma saída nos fundos, Rua de Ponthieu, reservada aos funcionários e fornecedores, mas que os clientes usam ocasionalmente. Sou eu o responsável em vigiá-la.

— A ordem?

— Não deixar ninguém passar antes das seis da tarde, sem uma autorização assinada por Mauléon, em um papel com o timbre do hotel.

— Quanto tempo você acha que tenho para agir?

— Você quer agir?

— Sim.

— Em qual sentido?

— Diabos!

Eles se separaram.

Victor pegou o elevador. Ele não tinha dúvidas, nem mesmo passou pela sua cabeça em tê-las, de que poderia tomar uma decisão diferente. Ele se dizia: "É isso e nada mais. É até mesmo curioso notar a que ponto as circunstâncias jogam a meu favor. Só preciso me apressar, tenho quinze minutos pela frente, vinte no máximo".

No corredor, a porta de Alexandra se abriu, e a jovem apareceu em trajes elegantes, como se estivesse descendo para tomar chá.

Ele se aproximou dela, pegou-a pelos ombros e empurrou-a de volta para seu apartamento.

Ela resistiu, irritada.

– Qual é o problema?

– O hotel está cercado pela polícia. Estão dando uma batida.

A GRANDE BATALHA NO HOTEL CAMBRIDGE

1

Enquanto recuava, Alexandra não parava de lutar contra aquela mão pesada e cujo aperto a tirava do sério. Victor fechou a porta do *boudoir*, após cruzar a antessala. Ela logo exclamou:

– É deplorável! Com que direito o senhor ousa?...

Ele repetiu pausadamente:

– O hotel está cercado pela polícia...

As respostas foram contrárias ao que ele havia previsto:

– E daí? Isso não me importa.

– Estão listando os ingleses... Eles serão interrogados...

– Essa é uma questão que não diz respeito à princesa Basileïef.

– O senhor Beamish está entre esses ingleses.

Ela tremelicou as pálpebras. E disse:

– Não conheço esse senhor Beamish.

– Mas sim... sim... é um inglês que mora nesse andar... no número 337.
– Não o conheço.
– A senhora o conhece.
– O senhor anda me espionando?
– Por necessidade, para socorrê-la, como agora.
– Não preciso ser socorrida. Especialmente...
– Especialmente por mim, é isso o que a senhora queria dizer?
– Por ninguém.
– Eu imploro, não me force a dar explicações desnecessárias. Temos tão pouco tempo! Não mais que dez minutos... Dez minutos, ouviu? Calculo que dentro de dez minutos, no máximo, dois inspetores entrarão no quarto do senhor Beamish e pedirão que ele desça à direção do hotel, onde ficará cara a cara com o comissário Mauléon.

Ela tentou sorrir.

– Lamento por esse pobre senhor Beamish. Ele é acusado de quê?
– De ser um dos dois homens que escaparam do bar da Rua Marbeuf. O outro seria Arsène Lupin.
– A situação dele é ruim – ela disse, sempre mantendo a calma. – Se o senhor simpatiza com esse homem, ligue para ele e avise-o... Ele vai julgar o que fazer.
– A comunicação telefônica foi interceptada.
– O quê? – ela mostrou-se um pouco nervosa. – Resolva o senhor com ele!

Havia uma insolência no tom dela que irritou Victor, que replicou com rispidez:

– A senhora não está entendendo bem a situação. Dos dois inspetores que, dentro de oito ou dez minutos, vão bater na porta de Beamish, um o levará até a direção do hotel, mas o outro ficará no quarto para dar uma busca.
– Azar dele!

– E talvez para a senhora.

– Para mim? – Ela estremeceu. Indignação? Cólera? Preocupação? Ela se recompôs e repetiu: – Para mim? Qual ligação o senhor acha que existe entre mim e este homem? Ele não é meu amigo.

– Talvez, mas vocês agem de conluio. Por favor, não negue. Eu sei... eu sei de mais coisas do que a senhora imagina... Desde o dia em que a senhora aceitou a perda de sua presilha e que me estendeu sua mão para entrar em seus aposentos, como eu poderia ignorar seu envolvimento com atividades desse tipo? Seria por que eu mesmo ajo assim? Seja como for, aqueles que assim o fazem lhe intrigam. E uma noite eu vi a senhora conversando com esse inglês.

– Isso é tudo?

– Depois, entrei no quarto dele e encontrei...

– O quê?

– Algo que dizia respeito à senhora.

– O quê? – perguntou ela agitada.

– Algo que a polícia encontrará em pouco tempo.

– Fale logo!

– No guarda-roupa do senhor Beamish, mais precisamente no meio de uma pilha de camisas, descobrirão um lenço de seda laranja e verde...

– O quê? O que o senhor está dizendo? – perguntou ela, ajeitando-se.

– Um lenço de seda laranja e verde, o lenço com o qual Élise Masson foi estrangulada. Eu o vi lá... Está lá, no guarda-roupa do inglês.

De repente, a resistência da princesa Basileïef se dissolveu. Ainda de pé, mas vacilante, perplexa, com os lábios trêmulos, ela murmurou:

– Não é verdade... não é possível!

Ele continuou, implacável:

– Eu o vi lá, e a polícia está à procura desse lenço. A senhora leu os jornais sobre o lenço que Élise Masson levava sempre no pescoço... Descoberto nas mãos do inglês, ele carimba a sua indiscutível participação no crime da Rua de Vaugirard e a participação de Arsène Lupin. E, se esse lenço existe, não existiriam também outras evidências que poderiam revelar a verdadeira personalidade dessa mulher?

– Qual mulher? – ela perguntou sussurrando.

– A cúmplice dele. Aquela que foi surpreendida na escada, na hora do crime... aquela que matou...

Ela atirou-se sobre Victor e, em um impulso que significava tanto uma confissão, quanto um grito de violento clamor, ela esbravejou:

– Ela não matou! Eu garanto que essa mulher não matou... Ela tem horror a assassinatos! Horror de sangue e de morte! Ela não matou!

– Nesse caso, então, quem matou Élise?

Ela não respondeu. Os sentimentos se intercalavam nela com incrível rapidez, sua exaltação passou, dando lugar a um repentino desânimo. Com uma voz tão baixa, que ele mal conseguia ouvi-la, ela sussurrou:

– Nada disso importa. Pense de mim o que o senhor quiser, eu não me importo. Além do mais, sinto-me perdida, tudo se volta contra mim. Por que Beamish guardou esse lenço? Ficou combinado de que ele se livraria dele de um jeito ou de outro. Não... sinto-me perdida.

– Por quê? Vá embora! Nada impede a senhora de sair daqui.

– Não – ela disse. – Não posso, não tenho forças.

– Então, ajude-me.

– A fazer o quê?

– A avisá-lo.

– Como?

– Eu cuidarei disso.

– O senhor não vai conseguir.

– Vou.

– Vai pegar o lenço de volta?

– Sim.

– E o que será de Beamish?

– Darei a ele instruções para escapar.

Ela se aproximou, e Victor a examinou por um momento. Ela recuperou a coragem. Seus olhos se enterneceram e, surpreendentemente, lá estava ela, quase sorrindo na frente desse velho homem, mas sobre quem ela acreditava exercer seu poder de mulher. Como explicar essa devoção que lhe era oferecida sem nenhuma condição? Por que ele arriscaria se prejudicar para salvá-la? Além do mais, ela mesma se submetia ao domínio daqueles olhos serenos, daquela fisionomia firme. Finalmente, ela lhe estendeu a mão.

– Apresse-se. Estou com medo.

– Com medo por ele?

– Eu não duvidava de sua devoção. Não sei mais.

– Ele vai me obedecer?

– Sim... ele também está com medo...

– Entretanto, ele desconfia de mim, não?

– Não, acho que não.

– Ele vai abrir a porta?

– Bata duas vezes, em três tempos.

– Vocês não têm nenhum código?

– Não. Esse jeito de bater basta.

Ela o segurou quando ele fez menção de sair.

– O que devo fazer? Partir?

– Não saia daqui. Quando o alvoroço passar, dentro de uma hora, eu voltarei e analisaremos juntos.

– E se o senhor não puder voltar?

– Reunião na sexta-feira, Praça da Torre Saint-Jacques. – Ele pensou e perguntou: – Ora, tudo entendido? Não estou deixando nenhuma chance ao azar? Vamos! E não saia daqui, eu imploro.

Victor espiou lá fora. O corredor não estava mais vazio como de costume. As idas e vindas marcavam o início da agitação no hotel.

Ele esperou, depois se arriscou. Um primeiro passo o levou até as grades do elevador. Ninguém. Ele correu até o número 337, e bateu com força, no ritmo combinado.

Som de passos lá dentro. A fechadura girou.

Ele empurrou a porta, viu Beamish e contou o que havia dito à jovem:

– O hotel está cercado pela polícia... Estão dando uma batida...

2

O inglês reagiu à presença de Victor de modo bem diferente que Alexandra. De um lado, não houve resistência, mas também não houve nenhum grande esforço. A situação se apresentou tal como era, e o medo o submeteu sem que ele procurasse adivinhar o motivo pelo qual Victor o alertava. Além disso, se ele compreendia bem o idioma francês, ele mal o falava.

Victor lhe disse:

– Precisa me obedecer, já! Estão revistando todos os quartos, pois acreditam que o inglês do bar da Rua Marbeuf se esconde no hotel. O senhor será um dos primeiros a ser interrogado como suspeito, por causa da sua suposta entorse. Cá entre nós, essa desculpa é muito fraca. Ou bem o senhor não deveria ter voltado aqui, ou bem deveria ter se trancado no seu quarto. O senhor tem cartas ou documentos perigosos?

– Não.

– Nada que possa comprometer a princesa?

– Nada.

– Mentiroso! Dê-me a chave desse armário.

O outro obedeceu. Victor espalhou a pilha de camisas, pegou o lenço de seda e guardou-o no bolso.

– Isso é tudo?

– Sim.

– Ainda há tempo. Isso é tudo?

– Sim.

– Devo prevenir que, se o senhor tentar trair a princesa Basileïef, eu quebrarei a sua cara. Junte suas botas, seu chapéu, seu sobretudo. O senhor vai fugir.

– Mas… e a polícia? – perguntou Beamish.

– Quieto! O senhor conhece a saída do hotel que dá para a Rua de Ponthieu?

– Sim.

– Há apenas um guarda de sentinela.

O inglês fez sinal de que iria "esmurrar" o guarda e passar à força. Victor objetou:

– Não! Sem tolices. O senhor seria pego.

Ele pegou sobre a mesa um cartão de mensagens com o timbre do hotel, e escreveu: "Autorizada a saída", datou e assinou "comissário Mauléon".

– Mostre esse cartão ao guarda de sentinela. A assinatura é a mesma, eu respondo por ela. E então, vá tranquilo e não olhe para trás; na esquina da rua, corra.

O inglês mostrou o armário abarrotado de roupas e de pertences, seus artigos de toalete, e fez uma expressão de pesar.

– Bem, é verdade – riu com sarcasmo Victor –, do que mais o senhor precisa? De uma indenização? Xô! Vai se arrumar…

Beamish pegou suas botas no mesmo momento em que bateram à porta. Victor ficou aflito:

– Droga! E se forem eles? Azar, vamos ter de nos virar.

Nova batida.

– Entre! – gritou.

O inglês jogou as botas no fundo do quarto e deitou-se no sofá. Quando Victor estava prestes a abrir a porta, ouviu-se o ruído de uma chave. Era o camareiro do andar usando sua chave-mestra. Dois inspetores o acompanhavam, colegas de Victor.

– Adeus, estimado cavalheiro – disse ele ao inglês, exagerando seu sotaque sul-americano. – Fico contente de saber que sua perna está melhor.

Ele esbarrou nos policiais. Um deles disse educadamente:

– Inspetor Roubeau, da polícia judiciária. Estamos fazendo uma investigação no hotel. Posso lhe perguntar há quanto tempo o senhor conhece esse cavalheiro?

– O senhor Beamish? Oh! já faz algum tempo... No saguão... ele me ofereceu um charuto... E depois que ele torceu o pé, venho visitá-lo. – Ele anunciou seu nome: – Marcos Avisto.

– Peruano, não é? O senhor está na lista das pessoas a quem o comissário deseja fazer algumas perguntinhas. Poderia fazer a gentileza de descer ao escritório? O senhor está com seus documentos?

– Não, eles estão no meu quarto, que fica nesse andar.

– Meu colega irá acompanhá-lo.

O inspetor Roubeau olhou para a perna do inglês, sobre o sofá, com o tornozelo enfaixado e com compressas na mesa ao lado. Ele perguntou, em tom mais seco:

– O senhor pode andar?

– No.

– Então o comissário virá até aqui. Vá preveni-lo – disse para o colega. – Enquanto esperamos ele chegar, examinarei os documentos do inglês.

Victor seguiu o colega, e riu dele mesmo. Nem uma única vez passou pela cabeça do inspetor Roubeau, preso à missão que lhe fora confiada e mais especificamente no que se referia ao inglês, examinar Victor com um pouco mais de atenção. E nem por um único momento, certamente, o inspetor Roubeau cogitou que tivesse ficado sozinho, trancado com um suspeito, sem dúvida, armado.

Victor pensou sobre isso e, enquanto recolhia no armário de seu quarto os documentos originais que o atestava como Marcos Avisto, pensava, observando o policial que o acompanhava: "O que eu faço agora? Com uma rasteira, jogo-o no chão, tranco-o aqui... e saio pela Rua de Ponthieu? Mas isso seria realmente útil? Se Beamish, diretamente avisado, se livrasse de Roubeau e escapasse graças ao falso cartão assinado por Mauléon, o que Victor teria a temer?"

Ele se deixou levar à presença do investigador.

O hotel, no entanto, já se agitava. Embaixo, o saguão e o grande vestíbulo superlotavam de turistas e de clientes curiosos, barulhentos, indignados por lhes pedirem para não sair. Apesar dos esforços, a desordem se fez presente. E em seu escritório, o comissário Mauléon, começando a ficar atolado de trabalho, deixava notar sua disposição de espírito.

Mal olhou para Victor, que se dirigiu imediatamente a um de seus assistentes. Claro que ele só se preocupava com o senhor Beamish, contra quem havia fortes suspeitas.

– Bem, e o inglês? Você não vai trazê-lo? – perguntou ao policial que acompanhava Victor.

– Ele não pode andar... por causa da entorse.

– Que piada! Esse rapaz me parece suspeito. Um homem corpulento, de rosto vermelho, não é?

– Sim. E com um bigode tipo escova de dente, bem curto.

– Bem curto? Esse mesmo... Roubeau ficou com ele?

– Sim.

– Vou até lá... Acompanhe-me.

A intromissão furiosa de um turista, que estava apressado por conta do horário do trem e que constava na lista, atrasou Mauléon. Aqui ele perdeu dois minutos preciosos, e mais dois, dando ordens. Finalmente se levantou.

Victor, já com os documentos revistados e que, além disso, não pedia nenhuma autorização de saída, encontrou-o no elevador, acompanhado de um inspetor e de um outro agente. Os três policiais nem pareciam notá-lo. No terceiro andar, aceleraram os passos.

Mauléon bateu na porta 337 com força.

– Abra, Roubeau!

E repetiu, irritado.

– Céus! Abra a porta! Roubeau! Roubeau!

Ele chamou o camareiro responsável pelas bebidas do andar. O camareiro saiu da despensa com a chave na mão. Mauléon o apressou, cada vez mais preocupado. A porta foi aberta.

– Em nome de D...! – exclamou o comissário. Eu sabia...

No chão do quarto, amordaçado, amarrado com toalhas e com um roupão de banho, o inspetor Roubeau lutava para desvencilhar-se.

– Você não está ferido, hein, Roubeau? Ah! O bandido o amarrou! Mas, caramba! Como você deixou isso acontecer? Um sujeito forte como você?

O inspetor foi desamarrado. Roubeau tremeu de raiva.

– Eles eram dois! – murmurou, sem controle. – Sim, dois. De onde saiu o outro? Ele devia estar escondido. Ele me atacou pelas costas, com um golpe na nuca.

Mauléon pegou o telefone e ordenou:

– Que ninguém saia do hotel! Sem exceção! Entendeu? Qualquer um que tentar escapar deve ser detido. Exceções não serão permitidas. – E disse no quarto: – Eles eram dois aqui! Mas de onde saiu o outro? O segundo? Você não suspeitou de nada? – perguntou ele ao colega de Roubeau. – Procure, meu caro... Você já conferiu no banheiro? Com certeza era lá onde ele se escondia.

– Acho que sim – disse Roubeau... tive a impressão... estava de costas para o banheiro...

Foram conferir. Nenhum sinal. O trinco da porta que se comunicava com o quarto vizinho fora empurrado sem marcas de arrombamento.

– Revirem tudo! – ordenou o comissário. – Vamos revirar a fundo. Roubeau, você vem? É lá embaixo que devemos agir.

Ele empurrou as pessoas aglomeradas no corredor e caminhou à esquerda, em direção ao elevador, quando gritos vieram do lado direito. O corredor se comunicava com o amplo quadrilátero traçado pelo hotel, e era provável, como Roubeau apontou, que Beamish tivesse escolhido o lado direito para chegar à fachada posterior que dava acesso à Rua de Ponthieu.

–Larmonat está lá, de sentinela – disse Mauléon –, e as instruções são claras.

Os gritos aumentaram. Na primeira curva, avistaram um amontoado de gente, sinalizando e chamando por eles. Em um espaço apinhado de palmeiras e mobiliado com poltronas, que mais parecia um salão de inverno, as pessoas se debruçavam sobre um corpo estendido que acabava de ser descoberto por uma delas, entre os vasos de duas palmeiras.

Roubeau disse:

– É o inglês... eu o reconheço... ele está coberto de sangue...

– Como, o Beamish? Mas ele não está morto, está?

– Não – disse alguém, que estava de joelhos auscultando a vítima. – Mas está gravemente ferido... uma facada no ombro.

– E então, Roubeau? – gritou Mauléon. – Seria esse o outro? Seria aquele que estava escondido e que o golpeou pelas costas?

– Claro! Ele queria se livrar do cúmplice. Felizmente o pegaremos, já que as saídas estão bloqueadas.

Victor, que continuava ao lado dos dois policiais, não esperou e, graças ao tumulto, escapou pela segunda escada, descendo rapidamente.

A saída da Rua de Ponthieu ficava próxima ao andar térreo. Os criados do hotel lotavam os arredores, onde Larmonat e dois inspetores estavam de prontidão. Victor acenou para Larmonat, que arrumou um jeito de ir falar com ele.

– Impossível passar por aqui, Victor... A ordem...

– Não se preocupe, vou me virar sem você... Alguém lhe apresentou uma carta?

– Sim.

– Muito provavelmente uma falsa.

– Caramba!

– O sujeito foi embora?

– Diabos!

– Qual a descrição dele?

– Não prestei atenção... de aparência jovem.

– Então, você sabe quem era?

– Não.

– Arsène Lupin!

3

A certeza de Victor se espalhou de forma natural por todos aqueles que viveram esses momentos de pânico, onde se misturavam, como sempre acontece com Lupin, o lado cômico da bufonaria e da teatralidade.

Mauléon, lívido e desconcertado, fingindo uma calma desmentida por sua palidez, ocupou permanentemente sua cadeira no escritório da direção do hotel, como um chefe das forças armadas em seu quartel-general. Ele telefonou para o Comando Geral da Polícia, pediu reforços, despachou mensageiros de uma extremidade à outra do hotel, deu ordens contraditórias que faziam todos perderem a cabeça. Eles gritavam:

– Lupin!... É o Lupin!... Ele foi preso! Nós o vimos...

O inglês Beamish passou, deitado em uma maca. Ele foi levado ao Hospital Beaujon, de onde o médico afirmou:

– O ferimento não é mortal... Amanhã ele poderá ser interrogado.

Depois, foi Roubeau que chegou bastante agitado, vindo da Rua de Ponthieu.

– Ele fugiu pelos fundos. Ele deu a Larmonat uma carta assinada pelo senhor, chefe!

Mauléon protestou violentamente:

– Era falsa! Não assinei carta nenhuma! Tragam o Larmonat! A assinatura não é nem parecida! Só o Lupin para ter tanta audácia. Suba ao quarto do inglês, examine o tinteiro, a pena e encontre as folhas do hotel.

Roubeau disparou como uma flecha. Cinco minutos depois ele voltou:

– O tinteiro ainda está destampado... o porta-canetas não está no lugar... encontramos os papéis timbrados do hotel...

– Então a falsificação foi confeccionada lá, enquanto você estava amarrado.

– Não, eu teria visto. O inglês calçou os sapatos, e depois os dois se foram.

– Mas um deles sabia que estávamos investigando?

– Talvez...

– Por quem?

– Quando entrei no quarto, tinha alguém com o inglês... um peruano...

– Marcos Avisto... Qual o fim dele?

Roubeau saiu em disparada.

– Ninguém – disse ele ao voltar. – O quarto está vazio... Encontrei três camisas, um terno, objetos de higiene pessoal, uma caixa de maquiagem que acaba de ser usada e que nem mesmo está fechada. O peruano deve ter se disfarçado antes de partir.

– Certamente um cúmplice – disse Mauléon. – Então eram três... Senhor diretor, quem morava no quarto situado ao lado do banheiro de Beamish?

Eles olharam a planta do hotel. O diretor respondeu, bastante surpreso.

– Esse quarto foi alugado para o senhor Beamish.

– Como assim?

– Desde o início de sua estada, ele ocupou os dois quartos.

Espanto geral. Mauléon resumiu:

– Então, segundo todas as probabilidades, podemos dizer que os três comparsas moravam no mesmo andar e próximos uns dos outros. Marcos Avisto no número 345, Beamish no 337, e Arsène Lupin no quarto vizinho que lhe servia de refúgio depois de sua fuga do bar da Rua Marbeuf, onde ele se recuperava de seu ferimento; cuidado, isolado e alimentado por Beamish, com tanta discrição e habilidade, que os funcionários do andar nunca suspeitaram de sua presença.

Expuseram toda a situação ao senhor Gautier, diretor da polícia judiciária, que acabava de entrar e que ouvira o relato pelo comissário Mauléon. O senhor Gautier deu o seu aval, pediu algumas explicações adicionais e concluiu:

– Beamish foi pego. Se não foi Lupin que usou a carta, então ele ainda está no hotel. De qualquer maneira, o peruano está aqui. As investigações ficam mais fáceis agora. A proibição de saída pode ser suspensa. Um inspetor supervisionará, à cada entrada, o entra e sai do hotel. Mauléon, visite os quartos... visitas de cortesia, sem inspeção nem interrogatório. Victor irá acompanhá-lo.

Mauléon objetou:

– Victor não está aqui, chefe.

– Está, sim!

– Victor?

– Perfeitamente. Victor, da Brigada Anticrime. Quando cheguei, trocamos algumas palavras. Ele conversava com os colegas e com o porteiro do hotel. Chame-o aqui, Roubeau.

Victor apresentou-se, desconfortável em sua casaca estreita, com o ar mal-humorado de sempre.

– Então você estava aqui, Victor? – perguntou Mauléon.

– Acabei de chegar – ele respondeu. – Apenas o tempo de me atualizar. Meus cumprimentos, a prisão do inglês é uma grande vitória.

– Sim, mas e Lupin?

– Lupin é caso meu. Se você não tivesse precipitado as coisas, eu teria servido de bandeja para todos vocês, o seu Lupin.

– Sei! E o cúmplice dele, Marcos Avisto, um peruano?

– De bandeja também. Ele é um bom amigo meu, esse Marcos, um rapaz adorável! E bem robusto. Ele deve ter passado por debaixo do seu nariz.

Mauléon deu de ombros.

– Se isso é tudo o que você tem a dizer...

– Na verdade, é sim. No entanto, eu fiz uma pequena descoberta... Oh! Insignificante... e que pode não ter nenhuma relação com o nosso caso.

– O que mais poderia ser?

– Há outro inglês, na sua lista, chamado Murding?

– Sim, Hervé Murding. Ele estava fora.

– Eu o vi quando entrou no hotel, e perguntei ao porteiro sobre ele. Ele ocupa um quarto onde raramente dorme e onde só vem uma ou duas vezes por semana, à tarde. Uma senhora elegante, sempre a mesma, cuidadosamente disfarçada, junta-se a ele para tomarem chá juntos. Essa senhora, que às vezes o espera no saguão, chegou pouco antes de Murding e, diante da agitação aqui, partiu de novo. Talvez fosse bom convocar o inglês Murding.

– Roubeau, vá em frente. Traga-nos o Murding.

Roubeau disparou e trouxe de volta um cavalheiro que não tinha o direito de ser chamado de Hervé Murding, porque certamente não era inglês.

Mauléon, que imediatamente o reconheceu, exclamou muito surpreso:

– Como? É você, Félix Devalle, amigo de Gustave Géraume! O corretor de imóveis de Saint-Cloud! É você que finge ser inglês?

Félix Devalle, amigo de Gustave Géraume, o corretor de imóveis de Saint-Cloud, parecia bastante sem-jeito. Ele tentou fazer graça, mas sua risada soou falsa.

– Sim... É conveniente para mim ter onde me alojar ocasionalmente em Paris, quando vou ao teatro.

– Mas por que usar um nome diferente?

– Uma fantasia... E vocês têm de admitir que isso não é da conta de ninguém.

– E a mulher que você recebe?

– Uma amiga.

– Uma amiga, sempre disfarçada? Casada, talvez?

– Não... Não... mas ela tem lá os seus motivos...

O incidente parecia cômico, mas por que essa atitude constrangida? Essas hesitações?

Houve um momento de silêncio. Então Mauléon, que tinha consultado a planta do hotel, disse:

– O quarto de Félix Devalle também fica no terceiro andar, perto do pequeno salão de inverno onde o inglês Beamish foi atingido.

Gautier olhou para Mauléon. A coincidência atingiu os dois em cheio. Deveríamos ver Felix Devalle como um quarto cúmplice? E a mulher disfarçada, que o visitava, não seria a mesma mulher do Cine Balthazar e a assassina de Élise Masson?

Eles voltaram-se para Victor. Ele deu de ombros e disse com ironia:

– Vocês estão indo longe demais. Eu disse que o incidente era secundário.

Um aperitivo, nada mais. Mas apesar disso, deveria ser esclarecido.

O senhor Gautier pediu a Félix Devalle que ficasse à disposição da Justiça.

– Ótimo! – concluiu Victor. – Agora, chefe, vou pedir que o senhor me receba em uma dessas próximas manhãs.

– Alguma novidade, Victor?

– Algumas explicações a dar, chefe.

Victor, que dispensou acompanhar o comissário Mauléon na batida ao hotel, achou prudente avisar a princesa Basileïef. A prisão do inglês Beamish poderia, de fato, levar a revelações bastante perigosas para ela.

Então, ele entrou na sala da central telefônica e, depois de retiradas todas as ordens, pediu à jovem que fizesse a ligação para o quarto 345.

O quarto 345 não respondeu.

– Insista, senhorita.

Nova chamada sem sucesso. Victor foi falar com o porteiro.

– A senhora do apartamento 345 saiu?

– A princesa Basileïef? Ela partiu há cerca de uma hora.

Victor tomou um baque.

– Partiu? De repente?

– Oh! Não! Toda a bagagem foi levada ontem, e a conta paga essa manhã. Só lhe faltava uma mala.

Victor não perguntou mais nada. Afinal, seria normal Alexandra Basileïef ir embora e ninguém se opor à sua partida. E, por outro lado, o que a forçava a esperar pela autorização dele, Victor?

Mesmo assim, ele estava furioso. Lupin sumira. Alexandra desaparecera. Onde e como encontrá-los?

NO CORAÇÃO DA PRAÇA

1

"Uma noite é o suficiente para reparar todos os erros", planejava Victor. Quando seu amigo Larmonat foi vê-lo na noite seguinte, ele não estava mais sorridente do que de costume, mas estava calmo e confiante.

– Partida reiniciada – afirmou. – Meu trabalho era tão sólido que só a superfície foi abalada.

– Você quer a minha opinião? – propôs Larmonat.

– Eu a conheço… Você já está cansado disso.

– Bem, sim!… Muitas complicações… coisas que não se fazem quando se tem a honra de ser policial… Às vezes, pensamos que você joga no outro time.

– Quando se quer chegar, não se escolhe o caminho.

– Talvez, mas eu…

– Você está enojado. Afaste-se, então…

— Bem, meu velho — exclamou Larmonat, em tom decidido — já que você me propõe, eu aceito! Romper, não, devo-lhe muito reconhecimento, mas interromper...

— Você tem muita consideração hoje — zombou Victor. — Seja como for, não posso culpá-lo por seus escrúpulos. Serei obrigado a escolher outro colaborador na polícia judiciária...

— Quem?

— Não sei... O diretor, talvez...

— Hein? O senhor Gautier?

— Talvez... é uma hipótese. Qual é o burburinho na polícia?

— O que você lê nos jornais. Mauléon está exultante! Estamos todos, se ele não tem Lupin, tem o inglês. Com os três russos, a imagem é respeitável.

— O inglês não desembuchou?

— Não mais que os russos. Está claro que essas pessoas esperam que Lupin as salve.

— E Félix Devalle, amigo de Gustave Géraume?

— Mauléon se remói a respeito dele, hoje ele estará em Saint-Cloud e em Garches. Estamos buscando informações. Eles acham que a pista é quente e o povo segue o cortejo. A participação de Félix Devalle explicaria muitas coisas. Enfim, estamos animados.

— Um último favor, meu velho. Ligue-me assim que souber qualquer notícia sobre o Devalle, principalmente sobre os meios dele de subsistência e sobre a situação de seus negócios. Todas as respostas vêm daí!

Victor não saiu mais de casa. Gostava daqueles períodos, daquelas pausas durante as quais era possível imaginar toda a aventura, quando era possível ver toda a história se espalhar à sua frente e os fatos podiam ser confrontados à ideia nascida aos poucos.

Quinta-feira à noite, Larmonat telefonou para contar que a situação financeira de Félix Devalle era péssima: dívidas, blefes, ele só se sustentava pelos golpes que dava no mercado de ações e por especulações precipitadas. Seus credores falavam com ele aos berros.

– Ele foi convocado?
– Pelo juiz de instrução, para amanhã de manhã, às onze horas.
– Não houve nenhuma outra convocação?
– Sim, convocamos a baronesa d'Autrey e a senhora Géraume, queremos esclarecer alguns pontos. O diretor e o Mauléon estarão presentes...
– Eu também.
– Você também?
– Sim. Previna o senhor Gautier.

Na manhã seguinte, Victor primeiro passou no Hotel Cambridge, e foi conduzido ao quarto que Félix Devalle ocupara e que agora era mantido trancado. Em seguida, ele compareceu ao Comando Geral da Polícia, onde o senhor Gautier o aguardava. Juntos, foram com o comissário Mauléon ao gabinete do juiz de instrução.

Depois de um minuto, Victor manifestou seu tédio com bocejos e com uma atitude tão pouco adequada, que o senhor Gautier, conhecendo-o bem, perguntou-lhe impaciente:

– O que foi agora, Victor? Se você tem algo a dizer, diga.
– Tenho, sim, algo a dizer – disse ele mal-humorado –, mas peço que seja na presença da senhora d'Autrey e de Gustave Géraume.

Eles o observavam com espanto. Sabia-se que ele era estranho, mas sério, e que também não gostava de perder o seu tempo, nem o tempo dos outros. Ele não teria solicitado essa confrontação sem sérios motivos.

A baronesa foi conduzida primeiro, envolta em seu véu de luto. Um momento depois, Gustave Géraume foi trazido, ainda sorridente e alegre.

Mauléon não escondeu sua desaprovação.

– Bem, vá em frente, Victor – ele murmurou. – Você tem mesmo revelações importantes?

– Revelações, não – disse Victor sem ficar desconcertado. – Mas eu gostaria de eliminar alguns obstáculos que nos atrapalham e de retificar erros e equívocos que obstruem o caminho. Em todo e qualquer caso, há um momento em que se deve pontuar bem o processo se quisermos recomeçar com mais ímpeto. Já fiz isso uma vez, quando nos livramos de tudo o que pertencia à primeira fase da operação e que girava em torno das apólices. Devemos agora, antes do golpe final contra Lupin, livrar-nos de tudo o que representa o crime do La Bicoque. Restam em cena a senhora d'Autrey, o senhor e a senhora Géraume, e o senhor Félix Devalle. Vamos terminar logo com isso. Será breve.

Cumprimentando os presentes, Victor explicou que faria apenas algumas perguntas, e então se virou para Gabrielle d'Autrey.

– Peço, minha senhora, para que responda com toda sinceridade. A senhora considera o suicídio do seu marido uma confissão?

Ela levantou seu véu de crepe, era possível notar as bochechas pálidas, os olhos vermelhos de choro, e ela disse com firmeza:

– Meu marido não me deixou na noite do crime.

– É a sua afirmação e o crédito a que ela se atribui – disse Victor – que nos impede de chegar a uma verdade que nos é indispensável conhecer.

– Não há outra verdade além da que estou afirmando. Não pode haver nenhuma outra.

– Existe uma outra – disse Victor. E, dirigindo-se a Gustave Géraume, falou:

– Essa outra verdade, o senhor a conhece, Gustave Géraume. Com um único sopro, como eu sugeri em nossa última conversa, o senhor pode dissipar a neblina. O senhor gostaria de se pronunciar?

– Não tenho nada para admitir. Não sei de nada.

– Sim, o senhor sabe.

– Absolutamente nada, juro.

– O senhor admite?

– Não tenho nada para admitir. Não sei de nada.

– Então, falo eu – disse Victor. – Faço com a tristeza de causar uma ferida dolorosa, terrivelmente dolorosa à madame d'Autrey. Contudo, mais cedo ou mais tarde, ela viria a saber. Melhor extirpar o mal pela raiz.

Gustave Géraume protestou de forma bastante desconcertante, principalmente vinda de um homem que até aquele momento se negara a dar qualquer resposta:
– Inspetor, é muito grave isso o que o senhor está prestes a fazer.
– Para saber que é grave, é preciso que o senhor saiba com antecedência aquilo que vou dizer. Nesse caso, fale...
Victor esperou. Com o outro em silêncio, Victor começou com determinação:
– Na noite do crime, Gustave Géraume janta em Paris com o amigo Félix Devalle. É uma diversão que os dois amigos compartilham com frequência, porque ambos são amantes da boa mesa e dos bons vinhos. Mas naquele jantar, a bebedeira foi maior, a tal ponto que, quando Gustave Géraume voltou às dez e meia, já não estava mais consciente. No cruzamento, perto de casa, ele tomou uma última dose de *kümmel* que termina de embriagá-lo. Com dificuldade, pega de novo seu carro e segue pela estrada de Garches. Onde ele está? Na frente da sua casa? Ele está convencido disso, mas na realidade, ele não está lá, ou seja, na frente de seu atual casarão, mas em frente a uma casa que lhe pertence, onde viveu durante dez anos, onde retornou centenas de vezes à noite, voltando de Paris, depois de bons jantares. Mais uma vez, ele teve um bom jantar. Mais uma vez, ele volta para casa. Sua chave não está no seu bolso? A chave exigida pelo seu inquilino, d'Autrey, e pela qual tiveram que comparecer ao tribunal de conciliação. Ele a guarda sempre no bolso, por teimosia, e para que não seja reencontrada em outro lugar. Então, não seria natural usá-la? Ele toca a campainha. A zeladora abre. Ele sussurra o nome dele ao passar. Sobe. Pega sua chave e entra. Entra na casa dele. Perfeitamente, na casa dele. Na casa dele, e não em outro lugar. Como, com sua visão turva, com seu cérebro vacilante, ele não reconheceria seu apartamento, seu vestíbulo?
Gabrielle d'Autrey se levantou, ela estava pálida. Tentou balbuciar um protesto. Não conseguiu. Victor continuou, calmamente, ressaltando cada frase:

– Como ele não reconheceria a porta do seu quarto? É a mesma. É a mesma maçaneta que ele gira, o mesmo batente que ele empurra. O quarto está escuro. Aquela que ele acredita ser sua esposa, está sonolenta. Ela abre um pouco os olhos... pronuncia algumas palavras em voz baixa... A ilusão começa para ela também... Nada vai dissipá-la... Nada...

Victor fez uma pausa. A angústia da senhora d'Autrey tornava-se atroz. Era possível adivinhar o esforço do seu pensamento, o despertar de certas lembranças e de detalhes que voltaram à sua cabeça; em suma, toda a formidável explicação que lhe foi imposta por uma terrível lógica. Ela olhou para Gustave Géraume, exprimiu seu horror, rodopiou sobre si mesma e caiu de joelhos diante de uma poltrona, escondendo o rosto...

Tudo aconteceu em grande silêncio. Nenhuma objeção foi levantada contra a estranha revelação feita por Victor e acatada pela baronesa. Gabrielle d'Autrey recobriu a cabeça com seu véu.

Gustave Géraume continuou ali, um pouco desconfortável, meio sorridente, muito espirituoso. Victor lhe disse:

– Foi isso, não foi? Estou enganado?...

O outro não sabia se deveria confessar ou persistir em seu papel de galanteador que se deixa aprisionar em vez de comprometer uma mulher. No final, ele disse:

– Sim... foi isso... estava embriagado... não percebi... apenas às seis horas, quando acordei, entendi... Tenho certeza de que a senhora d'Autrey vai me perdoar... – E calou-se.

Uma explosão de riso, a princípio abafada, depois irresistível, espalhou-se do senhor Validoux ao senhor Gautier, do secretário ao próprio Mauléon. A boca de Gustave Géraume alargou-se e, igualmente, começou a rir, sem barulho, divertindo-se com aquela aventura que manteve o seu bom humor na prisão, e cuja graça despontou-lhe de repente.

Ele repetiu, em um tom aflito, dirigindo-se à sombria figura ajoelhada:

– Eu devo me desculpar. Não é minha culpa... É o acaso, não é? Desde então, fiz o que pude para que não suspeitassem de nada...

A baronesa levantou-se. Victor lhe disse:

– Mais uma vez peço desculpas, minha senhora, mas foi necessário. Primeiro, pela Justiça e também pela senhora... sim, pela senhora mesma. Um dia, a senhora vai me agradecer e verá que...

Sem dizer uma palavra, ainda invisível embaixo do seu véu, morta de vergonha, ela saiu da sala.

Gustave Géraume foi levado dali.

2

Victor não perdeu a seriedade. No entanto, ele disse, em tom piedoso, mas ainda sarcástico:

– Pobre mulher! O que me colocou nesse encalço foi a maneira como ela falava sobre o retorno do marido, naquela noite. Ela guardava boas lembranças... "Adormeci nos braços dele", dizia ela, como se fosse um evento raro. Mas naquela mesma noite, d'Autrey me disse que nunca sentira nada além de afeto por sua esposa. Contradição flagrante, não é? E, de repente, quando o vi, lembrei-me daquela história de chave, a causa de tantos conflitos entre o casal d'Autrey e o casal Géraume. Essas duas ideias colidiam entre si, e isso foi o suficiente para que uma centelha iluminasse minha mente: Géraume, o proprietário, o ex-morador do apartamento, tinha essa chave. A partir de então, a sequência dos eventos foi se autoexplicando, como expus aos senhores.

– De tal modo que o crime...? – perguntou o senhor Validoux.

– Que o crime foi cometido apenas por d'Autrey.

– Mas e a mulher do cinema? A que foi vista na escada de Élise Masson?

– Ela conhecia Élise Masson e foi por meio dela que soube que o barão d'Autrey seguia a pista das apólices; que as apólices estavam com o padre Lescot; e que o barão deveria tentar recuperá-las. Ela foi para lá também.

– Para roubá-las?

– Não. Segundo minhas informações, ela não é uma ladra, mas uma compulsiva, ávida por grandes emoções. Ela foi lá para observar, por curiosidade. Chegou bem no momento do crime, e só teve tempo de fugir em direção ao próprio carro.

– Ou seja, em direção a Lupin?

– Não. Se Lupin tivesse insistido em se encarregar das apólices, após seu fracasso em Estrasburgo, o caso teria sido mais bem conduzido. Não. Ele se interessava apenas pelo seu negócio de dez milhões, e sua amante tinha de agir sozinha, em separado dele. D'Autrey, que talvez nem a tenha notado, fugiu e não se atreveu a voltar para casa. Vagou a noite toda pelas estradas e, de madrugada, despencou na casa de Élise Masson. Um pouco mais tarde, fiz a minha primeira visita à baronesa e foi o mal-entendido do qual ela fora vítima, sem que soubesse, o que lhe permitiu defender o marido com unhas e dentes e me dizer, com sincera convicção, que estiveram juntos a noite toda.

– Mas d'Autrey ignorava esse mal-entendido...

– Evidentemente. No entanto, à tarde, ele soube que sua esposa o defendia contra todas as evidências.

– Como ele soube?

– A velha empregada escutou minha conversa com a baronesa através da porta. A caminho do mercado, a empregada foi surpreendida por um jornalista que estava à espreita, e ela acabou contando-lhe a cena. O jornalista escreveu um artigo e o levou a um pequeno jornal, que passou um pouco despercebido. Mas às quatro horas, perto da Gare du Nord, d'Autrey comprou esse jornal e soube, obviamente com espanto, que sua esposa havia dado um álibi irrefutável. Ele desistiu de sua partida, abrigou seu roubo, e começou sua batalha. Apenas...

– Apenas?...

– Bem, quando ele percebeu o motivo exato desse álibi e que, gradualmente, descobriu as razões pelas quais sua esposa estava tão convencida, ele, sem dizer-lhe nada, a esbofeteou. – E Victor finalizou: – Sabemos agora que o barão d'Autrey tirou proveito do álibi usado a favor de Gustave Géraume. Quando soubermos de que maneira Géraume foi cúmplice de um crime que ele não assistiu, o problema do La Bicoque será resolvido. Teremos essa informação.

– Como?

– Por Henriette Géraume, sua esposa.

– Ela foi convocada – disse o senhor Validoux.

– Por favor, faça entrar também o Félix Devalle, senhor juiz.

Henriette Géraume foi conduzida primeiro, Félix Devalle em seguida. Ela parecia esgotada. O juiz pediu-lhe que tomasse um assento. Ela balbuciou um agradecimento.

Victor, aproximando-se dela, abaixou-se e pareceu pegar algo. Era um fino grampo, um ondulado grampo-invisível, cor de cobre. Ele o examinou. Henriette o agarrou automaticamente e o colocou em seus cabelos.

– Isso é seu, minha senhora?

– Sim.

– Tem absoluta certeza disso?

– Absoluta.

– Eu não o encontrei aqui, mas entre vários outros grampos e bugigangas deixados no fundo de um pequeno cálice de cristal, no quarto ocupado por Félix Devalle, no Hotel Cambridge, e a senhora acaba de reavê-lo e afirmar que é seu – disse ele. – A senhora é amante de Félix Devalle.

Esse era um recurso que Victor adorava utilizar, o ataque absolutamente imprevisto, realizado por meios contra os quais parece não haver defesa possível.

A jovem se sentiu sufocada, tentou resistir, mas ele a abateu com outro golpe que terminou de atordoá-la.

– Não negue, minha senhora! Tenho mais umas mil provas dessa natureza – afirmou Victor, que não tinha mais nenhuma.

Fora de combate, sem saber como contra-atacar ou a quem se agarrar, ela encarou Félix Devalle. Ele ficou mudo, bastante pálido, e também desconcertado com a violência do ataque.

Victor retomou:

– Em todo e qualquer caso, há tanto lógica quanto acaso. E foi por acaso que Félix Devalle e a senhora Géraume escolheram o Hotel Cambridge como ponto de encontro. Esse que era justamente o quartel-general de Arsène Lupin. Puro acaso... simples coincidência.

Félix Devalle deu um passo à frente, gesticulando indignado.

– Não admito, inspetor, que o senhor se permita acusar uma mulher por quem o meu respeito...

– Vamos, chega de piada – disse Victor. – Estou simplesmente enumerando os fatos, que serão fáceis de verificar e aos quais o senhor poderá levantar suas objeções. Se o juiz de instrução, por exemplo, tiver a certeza de que o senhor é amante da senhora Géraume, ele vai se perguntar se acaso o senhor não quis se aproveitar dos acontecimentos para fazer do marido de sua amante suspeito, e se o senhor não contribuiu para a sua prisão. Ele se perguntará também se não foi o senhor que aconselhou o comissário Mauléon, por telefone, a fazer uma busca na escrivaninha de Gustave Géraume; se não foi o senhor quem incitou sua amante a retirar as duas balas do revólver; se o jardineiro Alfred não foi nomeado pelo senhor, como me foi informado, para trabalhar na casa do seu amigo Géraume; e se o senhor não o pagou para que ele se retratasse e para que desse um falso depoimento contra seu patrão.

– O senhor é louco! – exclamou Félix Devalle, roxo de raiva. – Que motivos teriam me levado a agir assim?

– O senhor está falido. Sua amante é rica. O divórcio é facilmente obtido contra um marido infiel. Não estou dizendo que o senhor teria vencido o jogo, estou dizendo que o senhor embarcou nessa aventura desmoralizado, como um homem falido que joga a sua última cartada! Quanto às provas...

Félix Devalle tentava manter seu autocontrole, embora suas faces vermelhas revelassem sua imensa fúria.

Victor voltou-se para o senhor Validoux:

– Senhor juiz de instrução, o papel da polícia judiciária é o de fornecer à Justiça os elementos de uma rigorosa informação. O senhor encontrará as provas com facilidade. Não tenho dúvidas de que elas respaldam minhas conclusões: a culpa de d'Autrey; a inocência de Gustave Géraume; a tentativa de Félix Devalle de induzir a Justiça ao erro. Não tenho mais nada a dizer. Quanto ao assassinato de Élise Masson, discutiremos isso mais tarde.

Ele se calou, suas palavras haviam causado forte impressão. Félix Devalle assumiu um ar desafiador. Se Mauléon balançava a cabeça em sinal de discordância, o magistrado e o senhor Gautier cederam à força de uma argumentação que tão bem se ajustava às exigências da realidade.

Victor estendeu seu maço de cigarros caporal ao juiz de instrução e ao senhor Gautier, que aceitaram a oferta. Depois, brincou com o seu isqueiro, acendeu seu cigarro e saiu, deixando os outros trabalharem.

No corredor, ele foi parado pelo senhor Gautier, que lhe apertou as mãos com firmeza.

– Você foi extraordinário, Victor.

– Eu teria sido muito mais, chefe, se esse Mauléon não tivesse me ignorado.

– Como assim?

– Simples! Chegando ao Hotel Cambridge no momento em que eu tinha toda a gangue nas mãos.

– Você estava lá, no hotel?

– Claro, chefe, eu estava até mesmo no quarto.

– Com o inglês Beamish?

– Meu Deus, sim!

– Mas só havia o peruano Marcos Avisto no recinto.

– O peruano era eu.

– O que você está dizendo?

– A verdade, chefe.

– Não é possível!

– Claro que sim, chefe. Marcos Avisto e Victor são a mesma pessoa. – Victor apertou a mão do senhor Gautier, acrescentando: – Até logo, chefe. Dentro de cinco ou seis dias, vou corrigir o erro de Mauléon, e Lupin será preso. Mas não fale nada sobre isso. Caso contrário, mais uma vez, vai tudo por água abaixo.

– Contudo, você admite que...

– Admito que, às vezes, pego um pouco pesado, mas isso é vantajoso para o senhor, chefe. Deixe-me agir com liberdade.

Victor almoçou em uma taverna; ele estava contente. Livre de todas as reflexões e indecisões relativas ao crime do La Bicoque, ao casal d'Autrey, ao casal Géraume, a Félix Devalle, e tendo instruído a polícia a cuidar de todas essas pessoas como fizera com Audigrand, com a datilógrafa Ernestine e com a senhora Chassain, ele se sentiu aliviado. Finalmente, ele poderia se dedicar à sua tarefa, sem mais equívocos, sem mais falsas manobras provocadas por terceiros! Sem Mauléon! Sem Larmonat! Sem mais precisar de ninguém! Lupin e Alexandra, Alexandra e Lupin, só esses dois importavam.

Fez duas ou três incursões, voltou a ser o peruano Marcos Avisto, e às cinco para as três, chegou à Praça da Torre Saint-Jacques.

3

Nem por um momento, desde o dia que se seguiu ao tumulto no Hotel Cambridge, Victor teve dúvidas: a princesa Basileïef compareceria ao encontro que ele propusera no último minuto, caso não voltassem a se rever no hotel. Não admitia que, depois do papel desempenhado por ele nessa circunstância, depois do violento impacto que os lançara um em direção ao outro, depois de unidos pelo mesmo perigo, ela se decidisse a nunca mais revê-lo. Ele mostrara seu brilho, deixara-lhe a lembrança de um homem inteligente, enérgico, útil, dedicado e acreditava que ela se sentisse atraída por ele.

Ele esperou.

Crianças brincavam com a areia; idosas tricotavam ou cochilavam à sombra das árvores ou da torre e, em um banco, um cavalheiro lia por detrás do seu jornal aberto.

Dez minutos se passaram, depois quinze e depois vinte.

Às três e meia, Victor começou a se preocupar. Será que ela não viria? Teria ela resolvido cortar o fio que os unia? Teria ela deixado Paris, deixado a França? Nesse caso, como reencontrá-la e como chegar até Lupin?

Preocupação temporária, desfeita por um sorriso de satisfação e que ele disfarçou virando a cabeça para o outro lado. Na frente dele, aquelas duas pernas que se podiam acompanhar por debaixo do jornal aberto, não seriam...?

Ele esperou mais cinco minutos, levantou-se e caminhou lentamente em direção à saída.

Uma mão pousou em seu ombro. O homem do jornal aproximou-se dele, muito simpático, e lhe disse:

— Senhor Marcos Avisto, não é?

— Ele mesmo... e o senhor, Arsène Lupin?

— Sim, Arsène Lupin... sob o codinome de Antoine Bressacq. Permita também que eu me apresente como amigo da princesa Basileïef.

Victor o reconheceu: era o homem que ele tinha visto certa noite, no Hotel Cambridge, com o inglês Beamish. A aspereza dele o chocou de imediato, mas também a sinceridade dos seus olhos cinza-escuros, cor de ardósia. Essa aspereza foi neutralizada por um sorriso amigável e, mais ainda, pelo inegável desejo de agradar. De fisionomia bem jovem, peitoral largo, aparência forte e desenvoltura atlética, com um maxilar e uma ossatura do rosto cheios de intensidade... Quarenta anos talvez. Um primoroso corte no traje.

– Eu o vi no Hotel Cambridge – disse Victor.

– Ah! – murmurou Bressacq, rindo. – O senhor também tem a capacidade de nunca esquecer uma fisionomia? Na verdade, fui várias vezes ao saguão, antes de me refugiar no segundo quarto de Beamish, como um ferido de guerra.

– Seu ferimento?

– Quase nada, mas doloroso e incômodo. Quando o senhor veio prevenir Beamish, e lhe agradeço muito por isso, eu recobrei minha confiança.

– O suficiente, de qualquer forma, para golpeá-lo.

– Claro! Ele se recusou a me dar o salvo-conduto que o senhor havia assinado para ele. Infelizmente acabei batendo mais forte do que queria.

– Ele vai entregá-lo à polícia?

– De jeito nenhum! Ele conta comigo para o futuro.

Os dois seguiram pela Rua de Rivoli. O carro de Bressacq estava estacionado.

– Nenhum comentário sobre nós – disse ele sem rodeios. – Estamos de acordo?

– Sobre o quê?

– Sobre o interesse que temos em estarmos de acordo – disse Bressacq sorridente.

– Entendido.

– Seu endereço?

– Nenhum fixo, depois do Hotel Cambridge.

– Vamos até onde o senhor se hospeda. O senhor pega sua bagagem, e eu lhe ofereço estada.

– É urgente?

– Urgente. Um grande negócio em andamento. Dez milhões!

— E a princesa?

— Ela o aguarda.

Eles avançaram.

No hotel, Victor recolheu as malas que havia deixado prontas, prevendo a direção dos acontecimentos.

Deixaram Paris e chegaram a Neuilly. No final da Avenida de Roule, na esquina de uma rua, havia uma casa de dois andares entre o pátio e o jardim.

— Para acampamento ocasional — disse Bressacq ao parar. — Tenho cerca de dez como essa em Paris. O suficiente para se instalar e com poucos criados. O senhor vai dormir no estúdio, perto do meu quarto, no segundo andar. A princesa ocupa o primeiro.

O estúdio, com a janela voltada para a rua, era confortável, mobiliado com extraordinárias poltronas, um sofá-cama e uma seleta biblioteca.

— Alguns filósofos, livros de memórias... E todas as aventuras de Arsène Lupin, para embalar o sono.

— Eu os sei de cor.

— Eu também — disse Bressacq, rindo. — A propósito, o senhor gostaria de ter a chave da casa?

— Para quê?

— Se o senhor tiver de sair...

Se entreolharam por um segundo.

— Não vou sair — disse Victor. — Entre duas expedições, gosto de me recolher, sobretudo se não sei do que se trata...

— Esta noite, está bem? Depois do jantar, que será servido no *boudoir* da princesa, por conveniência e também por prudência. O andar térreo da minha acomodação é sempre um pouco maquiado e reservado para batidas policiais e para eventuais batalhas.

Victor desfez as malas, fumou alguns cigarros e vestiu-se, depois de ter passado cuidadosamente as calças do *smoking*, com a ajuda de um pequeno ferro elétrico. Às oito horas, Antoine Bressacq veio buscá-lo.

A princesa Basileïef o recebeu com simpatia, agradeceu com efusão por tudo o que ele havia feito por ela e por seus amigos no Hotel Cambridge, mas logo deu sinais de voltar à sua introspeção. Quase não participou da conversa, somente ouvia, dispersa.

Victor, que pouco falava, contou sobre duas ou três aventuras em que foi herói e nas quais, como não poderia deixar de ser, seu talento pesava. Já Antoine Bressacq demonstrou muito vigor. Era espirituoso, zombeteiro e tinha um jeito de se valorizar tanto com ironia, quanto com engraçada vaidade.

Terminado o jantar, Alexandra serviu café e licores, ofereceu charutos e espreguiçou-se em um sofá de onde não saiu mais.

Victor se acomodou em uma grande poltrona acolchoada. Estava feliz, tudo caminhava como ele previra, na ordem dos acontecimentos que ele havia planejado. Primeiro, cúmplice de Alexandra, infiltrando-se aos poucos no grupo, afirmando suas qualidades, dando provas de destreza e de devoção, e assim se tornando confidente e cúmplice de Arsène Lupin. Estava infiltrado, precisavam dele, pediam sua colaboração. Fatalmente, a operação terminaria conforme a sua vontade.

"Eu os peguei... os peguei..." sussurrou para si mesmo. "Só não pode haver nenhum erro, um sorriso largo demais, uma entonação estranha... Uma reflexão sem importância, com um tipo como esse, e tudo estará perdido.

– Estamos entendidos? – perguntou Bressacq alegremente.

– Estamos.

– Ah! Uma perguntinha, primeiro. Vocês conseguiriam adivinhar, mais ou menos, aonde eu quero levá-los?

– Mais ou menos.

– O que isso quer dizer?

– Quer dizer que estamos decididamente dando as costas para o passado. As apólices, o crime do La Bicoque, tudo isso, todas as mesmas crônicas dos jornais, os delírios da Justiça e do público, acabaram. Não vamos mais falar sobre isso.

– Um momento... E o crime da Rua de Vaugirard?

– Não mais...

– Essa não é a opinião da Justiça.

– É a minha. Eu tenho minha opinião sobre isso, e vou contá-la para vocês mais tarde. Por enquanto, uma única preocupação, um único objetivo.

– Qual?

– O caso dos dez milhões ao qual o senhor fez alusão na carta que escreveu à princesa Basileïef.

Antoine Bressacq exclamou:

– Tudo a seu tempo! Nada lhe escapa. O senhor está no páreo! – e sentando-se em uma cadeira, de frente para Victor, ele começou a explicar.

O DOSSIÊ ALB

1

– Primeiro, vou dizer que esse caso dos dez milhões, criticado pelos jornais sem que eles sequer imaginem uma hipótese plausível, foi trazido a mim por Beamish. Sim, por Beamish. Ele casou-se, depois da guerra, com uma jovem datilógrafa de Atenas, que trabalhava para um grego muito rico. Essa datilógrafa, que veio a morrer em um acidente de trem, contou-lhe alguns detalhes sobre seu ex-chefe, que chamaram a atenção de Beamish.

O grego, temendo o colapso monetário de seu país, converteu toda a sua fortuna: uma parte, em carteiras de investimentos e em imóveis localizados em Atenas; outra parte, em imensas propriedades localizadas na região do Épiro, sobretudo na Albânia. Dois dossiês foram constituídos, um referente à primeira metade do patrimônio, depositado em forma de títulos em um banco inglês; esse dossiê foi denominado dossiê de Londres, e o outro, referente à venda de todos os bens e propriedades, chamava-se dossiê ALB, isto é, sem dúvida nenhuma, ALBânia. Embora os dois dossiês, de acordo com os relatos da datilógrafa, tivessem cada qual o mesmo valor aproximado de dez milhões, descobriu-se que o dossiê de Londres era volumoso e que o ALB continha apenas um pequeno pacote fechado, amarrado e lacrado, que media de vinte a vinte e cinco centímetros de comprimento, e que o grego sempre trancava na gaveta ou em sua mala de viagem.

De que forma o dossiê ALB continha a quantia de dez milhões recuperada no Épiro? Mistério. O que aconteceu com o chefe da datilógrafa, depois que ela o deixou para se casar, é outro mistério que Beamish ainda não havia esclarecido quando o conheci, há três anos.

Minha organização internacional me permitiu fazer pesquisas produtivas sobre o assunto, que foram longas, mas eficazes. Eu achei o banco de Londres, onde ele tinha metade da sua fortuna, e pude comprovar que esse banco pagava as apólices depositadas a um fulano desconhecido, de Paris. Tive enorme dificuldade para descobrir que esse desconhecido era alemão, depois em descobrir o endereço desse alemão e, finalmente, em descobrir que o alemão e o grego eram apenas um.

Antoine Bressacq se interrompeu. Victor ouvira, sem fazer uma única pergunta. Alexandra, de olhos fechados, parecia estar dormindo. Bressacq continuou:

– Minha investigação se intensificou, liderada por uma agência da minha confiança. Fiquei sabendo que o grego, doente, quase inválido, nunca saía da mansão onde residia e que dormia no andar térreo, protegido por dois ex-detetives, remunerados por ele, e que a equipe, composta por três mulheres, dormia no subsolo da casa. Indicações preciosas. Recolhi outra, ainda mais importante, obtendo a cópia de notas relativas à residência. Uma dessas notas pagava pela instalação de campainhas elétricas, dessas de segurança, e pude perceber que todas as persianas das janelas da mansão, todas, sem exceção, eram equipadas com um sistema imperceptível que acionava, apenas com um leve toque, uma série de campainhas. Eu não tive mais dúvidas. Todas essas precauções só são adotadas quando alguém tem algo a temer, ou melhor, a esconder. O que, senão o dossiê ALB?

– Sem dúvida – disse Victor.

– Mas onde está o dossiê? No andar térreo? Não acredito, pois é lá onde o nosso homem vive o seu dia a dia, cercado por outras pessoas. Quanto ao segundo andar, está vazio e fechado, mas fiquei sabendo, por uma velha empregada demitida que, todos os dias, ele sobe ao segundo e ao último andar, onde passa as tardes sozinho em um grande aposento convertido em escritório. Lá ele juntou seus documentos, seus livros, as lembranças que restaram das duas mulheres que mais amou, filha e neta, ambas mortas, tapeçarias, retratos, brinquedos infantis, bugigangas, etc. Com as revelações dessa faxineira, preparei pacientemente a planta do quarto. – Bressacq a desenrolou e continuou: – aqui o escritório, aqui o telefone, aqui a biblioteca, aqui a prateleira com suas recordações, aqui a lareira com um espelho móvel e unidirecional suspenso. E foi no dia em que soube desse espelho unidirecional, nesse aposento, que meu projeto tomou forma. Eu me explico.

Usando um lápis, desenhou algumas linhas em um pedaço de papel.

– A mansão fica um pouco recuada, em uma larga avenida, separada por um pátio estreito, ou melhor, por uma faixa de canteiro e por uma grade alta. Os muros, à esquerda e à direita, limitam esse pátio. À direita, um terreno baldio cheio de arbustos está à venda, e eu consegui entrar nele. Bastou-me olhar para cima para ver que o espelho unidirecional não era protegido por persianas. Comecei imediatamente meus preparativos, e estão quase prontos.

– E aí?

– E aí que estou contando com você.

– Por que comigo?

– Porque Beamish está na prisão e porque analisei o senhor com muita atenção.

– As condições?

– Um quarto dos lucros.

– Metade, se eu encontrar o dossiê ALB – exigiu Victor.

– Não, um terço.

– Trato feito.

Os dois homens apertaram as mãos. Bressacq caiu na gargalhada.

– Dois negociadores, dois grandes homens de negócio que fecham um importante acordo trocam assinaturas, muitas vezes, diante de um tabelião, enquanto que duas pessoas honestas como nós se contentam com um leal aperto de mãos. Assim, sei que sua ajuda me é garantida, e o senhor sabe que obedecerei estritamente aos termos do nosso acordo.

Victor não foi expansivo, não caiu na gargalhada, e apenas deu um leve sorriso. Quando o outro lhe perguntou o motivo, ele respondeu.

– Seus dois negociadores ou seus dois homens de negócios só assinam quando estão a par do negócio.

– E?

– Bem, ainda não sei o nome do nosso adversário, onde ele mora, os meios que o senhor vai empregar e o dia escolhido.

– E o que isso significa?

– Que o senhor carrega uma espécie de desconfiança, o que me surpreende...

Bressacq hesitou.

– O senhor está impondo essa condição?

– De jeito nenhum – respondeu. – Não tenho condições a impor.

– Bem, eu tenho uma imposição – disse Alexandra, que de repente saiu do seu devaneio e se aproximou dos dois homens.

– Qual?

– Não quero que haja derramamento de sangue.

2

Ela se dirigiu a Victor, com uma expressão ríspida e com a voz categórica.

– O senhor disse, agora há pouco, que todas as histórias do La Bicoque e da Rua de Vaugirard estavam resolvidas. Não, não estão, porque eu posso ser encarada como uma criminosa, e nada os impedirá, na operação que estão preparando, de executarem o mesmo que a mim atribuem ou a Antoine Bressacq.

Victor declarou calmamente:

– Não atribuo nada, nem a Antoine Bressacq, nem à senhora.

– Sim.

– O quê?

– Matamos Élise Masson. Ao menos, um de nossos cúmplices a matou. Somos nós os responsáveis pela morte dela.

– Não.

– No entanto, essa é a convicção da Justiça, e é essa a opinião recorrente.

– Não é mais a minha opinião.

– Quem, então? Pense! Viram uma mulher saindo da casa de Élise Masson, que deveria ser eu e que, na verdade, era eu. Nesse caso, como não fui eu, quem a matou? Nenhum outro nome foi mencionado além do meu.

– Porque a única pessoa que poderia ter mencionado um nome diferente do seu ainda não teve a coragem de fazê-lo.

– Que outra pessoa?

Victor soube que precisava ser claro. A condição que impusera a Bressacq, pedindo por indícios prévios, obrigara-o a retomar o pulso sobre seus cúmplices e a oferecer, mais uma vez, a medida de seus métodos.

– Que outra pessoa? – ele repetiu. – O inspetor Victor, da Brigada Anticrime.

– O que quer dizer?

– Quero dizer que pode parecer uma simples hipótese para a senhora, mas é a mais pura verdade, uma verdade que gradualmente deduzi dos fatos e de uma leitura cuidadosa dos jornais. A senhora sabe o que penso do inspetor Victor. Ele é um policial de muita classe, mas não chega a ser um fenômeno, sendo um policial como todos os seus colegas, aliás, como todo mundo, sujeito a imperfeições e negligências. Porém, na manhã do assassinato, quando ele foi com o barão d'Autrey até a casa da Élise Masson para um primeiro interrogatório, ele cometeu um erro que ninguém percebeu, mas que, sem dúvida, era a chave do enigma. Assim que ele desceu, colocou o barão de volta no carro, pediu para que um guarda de trânsito o vigiasse e se dirigiu até um café, do andar térreo, para telefonar para o Comando Geral da Polícia, a fim de pedir que dois agentes fossem imediatamente enviados até lá. Ele queria que a porta fosse vigiada para que Élise Masson não saísse antes de uma busca minuciosa em sua casa.

– Continue, por favor – murmurou a princesa, bastante impactada.

– Bem, foi difícil conseguir a comunicação telefônica, bem demorada, e no decurso de seus quinze minutos, era natural que o barão d'Autrey tivesse a ideia, não de fugir... de que adiantaria?... mas de voltar para a casa da sua amante. Quem o impediria? O inspetor Victor estava ocupado, o guarda de trânsito cuidava da circulação e, além disso, mal o via sob o capô do conversível.

– Mas por que ele queria vê-la novamente? – perguntou Antoine Bressacq, também muito atento.

– Por quê? Lembrem-se da cena no quarto de Élise Masson, como contou o inspetor Victor. Quando soube que Maxime d'Autrey fora acusado, não só do roubo, mas do crime, ela ficou exasperada com tamanha suspeita. Mas o que o inspetor Victor considerou como indignação era apenas, sem a menor dúvida, medo. Que seu amante havia roubado as apólices, disso ela sabia, mas não imaginou, nem por um momento, que ele pudesse ter matado o padre Lescot. Ela teve pavor desse homem e medo da Justiça. D'Autrey estava certo, estava mesmo convencido de que essa mulher o denunciaria, e é por isso que ele queria revê-la e falar com ela. Ele tinha uma chave do apartamento e entrou para interrogar sua amante, que, assustada, respondeu com ameaças. D'Autrey entrou em pânico. Ele deve aceitar isso tudo? Tão perto do seu objetivo, dono das apólices, tendo até matado para obtê-las, falhará ele no último momento? Ele a mata. Mata essa mulher que ele adora, mas cuja traição instantânea é tão evidente que, por alguns segundos, ele a odeia. Um minuto depois, ele está lá embaixo, sob o capô do carro. O guarda de trânsito não percebe nada, o inspetor Victor não suspeita de nada.

– De tal forma que eu... – sussurrou a princesa.

– De tal forma que a senhora, ao chegar uma ou duas horas mais tarde, apenas para discutir o caso com Élise Masson, encontra na fechadura, a chave esquecida pelo assassino. A senhora entra. Na sua frente, Élise Masson, estendida, estrangulada com a ajuda daquele lenço amarelo e verde que a senhora lhe deu...

Alexandra estava transtornada.

– É isso... é isso! – exclamou ela. – A verdade está toda aí. O lenço estava no tapete, perto do corpo... Eu o peguei... Fiquei morrendo de medo. É isso! É isso!

Antoine Bressacq assentiu.

– Sim, nenhum erro possível. Aconteceu dessa forma, d'Autrey é o culpado, e o policial não se vangloriou de sua imprudência.

Ele deu um tapinha nos ombros de Victor.

– Decididamente, o senhor é um sujeito durão. Pela primeira vez encontro um colaborador em quem posso me apoiar. Marcos Avisto, faremos um bom trabalho juntos.

Victor mostrou-se apático. E sem pestanejar, Bressacq despejou as confidências capitais.

– O grego se chama Sériphos. Ele não mora muito longe daqui, ao longo do Bosque de Bolonha, no número 98 do Boulevard Maillot. A operação vai acontecer na próxima terça-feira, na mesma noite do dia em que me será entregue uma escada especial, que pode alcançar doze metros. Subiremos com ela. Uma vez infiltrados, desceremos para abrir a porta do vestíbulo de entrada para três de meus homens que estarão de vigília do lado de fora.

– A chave está no interior da porta da frente?
– Sim, parece.
– Mas também deve haver um dispositivo de campainha elétrica que pode ser acionado assim que tentarmos abri-la, não?
– Sim. Mas tudo foi instalado para um ataque vindo de fora, não para um ataque vindo de dentro, como o nosso, e o dispositivo é visível. Basta que eu o impeça de funcionar. Depois disso, meus homens se encarregarão de amarrar os dois guardiães, surpreendidos na cama. E então teremos todo o tempo de que precisamos, primeiro para procurar nos aposentos do andar térreo, depois, e acima de tudo, para vasculhar o escritório do segundo andar, onde deve se encontrar a fortuna. Tudo bem?
– Tudo.

Houve outro aperto de mãos entre os dois cavalheiros, ainda mais caloroso.

Os poucos dias que antecederam a operação foram prazerosos para Victor. Ele saboreava seu triunfo iminente, o que não o impedia de ser extremamente cuidadoso. Não saiu nem uma única vez, não enviou nenhuma carta, não deu um telefonema. Essas discrições inspirariam Bressacq a ter maior confiança. Victor, talvez um pouco envaidecido por sua iniciativa e por sua clarividência, voltou ao seu verdadeiro lugar. Associado, sim, mas subordinado. Os preparativos, as decisões, cabiam a Antoine Bressacq; para ele, bastava se deixar levar.

Mas que alegria profunda ele provava ao observar seu fantástico adversário, ao estudar suas maneiras, ao ver esse homem de quem tanto falavam sem conhecê-lo! E quanta satisfação, depois de ter manejado tão bem para entrar em sua vida privada, ver que Bressacq não nutria a menor desconfiança e que compartilhava com ele todos os seus planos.

Às vezes, Victor se preocupava. "Não seria ele que estaria brincando comigo? Não sou eu quem vai cair na própria armadilha? Devo eu admitir que um homem dessa magnitude não se deixaria enganar?"

Não! Bressacq entregara-se convicto, e Victor tinha milhares de provas como essa por dia, e a maior delas talvez fosse o comportamento de Alexandra, com quem ele passava a maior parte das tardes.

Ela estava relaxada agora, muitas vezes alegre, sempre cordial, e como que grata por ele lhe ter revelado o nome do culpado.

– Eu sabia que não tinha sido eu, mas é libertador pensar que, se algum dia eu for descoberta, posso ao menos responder que não matei e comprovar minha inocência.

– Por que a senhora seria descoberta?

– Como podemos saber?

– Mas sim, nós sabemos. A senhora tem em Bressacq um amigo que jamais permitirá que alguém lhe toque.

Ela ficou em silêncio. Seus sentimentos por aquele que devia ser seu amante permaneceram secretos. Victor chegou a se perguntar, ao vê-la às vezes indiferente e distraída, se eles eram realmente amantes, se ela não o considerava acima de tudo como um amigo à procura de perigo, mais capaz do que qualquer outro de lhe dar as emoções intensas de que ela tanto gostava. Não seria o prestígio desse nome, Lupin, que a atraía e que a mantinha por perto?

Mas, na última noite, Victor os encontrou de pé, um de frente para o outro, com os lábios unidos. Teve dificuldade para conter sua irritação e, sem o menor constrangimento por ter sido surpreendida, Alexandra começou a rir.

– O senhor sabe por que despejo nesse cavalheiro toda a minha graciosidade? Para que ele me deixe acompanhá-lo amanhã à noite. Como se isso não fosse o óbvio! E não, ele se recusa... Uma mulher é só um entrave! Tudo pode dar errado por causa da presença de uma mulher! E há perigos que não se deve enfrentar... Enfim, um monte de nãos.

Seus belos ombros despontavam da leve túnica que a revelavam inteiramente. Seu rosto abrasador implorava a Victor.

– Convença-o, meu querido amigo. Quero ir também, justamente porque gosto do perigo. Não é nem do perigo que gosto, é do medo. Sim, o medo... nada pode valer mais do que essa espécie de vertigem que nos faz girar. Desprezo os homens que têm medo, são uns covardes, mas meu próprio medo, meu medo me excita mais do que qualquer outra coisa no mundo.

Victor brincou e disse para Antoine Bressacq:

– Acredito que a melhor maneira de curar esse amor pelo medo é mostrar que, sejam quais forem as circunstâncias, não existe nada de tão terrível que inspire medo. Cá entre nós, esse é um sentimento que ela não vai mais experimentar.

– Ora! – reclamou Bressacq com bom humor. – Que seja feito como ela deseja! Pior para ela.

3

No dia seguinte, passado um pouco da meia-noite, Victor esperava no andar térreo. Alexandra juntou-se a ele, alegre, usando um vestido cinza, bem ajustado.

Ela parecia muito jovem, lembrava mais uma criança indo a uma festa, do que uma mulher se arriscando em uma aventura perigosa. Porém, em sua palidez, no brilho dos seus olhos, sentia-se por debaixo dessa alegria, uma sensibilidade pronta a se apagar.

Mostrou a ele um pequeno frasco.

– "O antídoto" – disse ela, sorrindo.

– Contra o quê?

– Contra a prisão. Posso aceitar a morte, mas a cadeia, por preço nenhum no mundo!

Ele arrancou o frasco dela e, abrindo a tampa, despejou o conteúdo no chão.

– Nem a morte, nem a cadeia! – exclamou ele, convicto.

– Em que se baseia sua suposição?

– Não há morte ou prisão a temer quando Lupin está por perto.

Ela deu de ombros.

– Mesmo ele pode ser derrotado.

– É preciso ter confiança absoluta nele.

– Sim... sim... – ela sussurrou –, mas nos últimos dias eu tive pressentimentos, pesadelos...

Ouviu-se o ruído de chave na fechadura. A porta de entrada se abriu por fora. Antoine Bressacq, que acabava de executar os preparativos finais, entrou.

– Tudo pronto – disse ele. – Alexandra, você insiste em ir? Você sabe, a escada é alta e balança muito quando subimos nela.

Ela não respondeu.

– E o senhor, meu querido amigo? Está confiante?

Victor também não respondeu.

Os três partiram pelas avenidas quase desertas de Neuilly. Não se falaram. Alexandra caminhou entre eles, com naturalidade e com ritmo bem compassado.

Um céu estrelado, sem nuvens, pairava sobre as casas e as árvores iluminadas.

Eles viraram na Rua Charles-Laffitte, paralela ao Boulevard Maillot. Da rua ao *boulevard*, pátios e jardins se estendiam por onde as mansões erguiam seus muros perfurados de lustres.

Uma paliçada de tábuas antigas murava uma dessas propriedades, com uma cerca dupla mal atada, e através da qual se avistavam os arbustos e as árvores do terreno baldio.

Eles perambularam por meia hora, para terem certeza de que nenhum transeunte tardio os incomodaria. Então, rapidamente, enquanto Victor e Alexandra patrulhavam, Antoine Bressacq abriu o cadeado com uma chave falsa e entreabriu uma das portas. Eles deslizaram para dentro e ficaram cercados por galhos, espinhos lhes esfolavam a pele. O chão estava coberto por tijolos de demolição.

— A escada está apoiada ao muro, à esquerda — sussurrou Bressacq, e eles caminharam até lá.

Em seguida, eles a ajeitaram, afundando os dois pés em um monte de areia e pedregulhos. Quando ela já estava bem erguida, plantada no solo escuro, encostaram-na ao muro que separava o terreno do pátio vizinho e, com delicadeza, com muito cuidado, encostaram a outra extremidade no segundo andar da mansão habitada pelo grego Sériphos.

Desta lateral da mansão, nenhuma das janelas, sob suas persianas hermeticamente fechadas, deveria estar iluminada. Tateando, Bressacq manobrou a escada de modo a que o topo alcançasse o espelho unidirecional, cuja face era difícil de perceber.

— Eu subo primeiro — disse ele. — Alexandra, assim que eu desaparecer, será a sua hora de subir.

— Ele chegou no topo — sussurrou Victor. — Ele vai cortar um pedaço do espelho e desprender a moldura.

Efetivamente, um minuto depois, Bressacq entrou, e perceberam que ele se debruçava na direção deles, segurando a escada com os dois braços estendidos.

— A senhora está com medo? — perguntou Victor.

— Estou começando... — ela falou. — É uma delícia! Desde que minhas pernas não percam a força e que eu não sinta vertigem!

Ela subiu, com rapidez no início, mas parou de repente.

"As pernas estão cedendo e a vertigem faz a cabeça dela girar", pensou Victor. A parada durou pouco mais de um minuto. Bressacq a encorajou em voz baixa.

Ela escalou rapidamente. A escada sacudia tanto que dava a impressão de que se soltava de sua frágil armação. Finalmente ela completou a subida e passou as pernas por cima da extremidade da escada.

Com frequência, nos últimos dias, na casa de Bressacq, Victor se dizia: "Ambos estão nas minhas mãos. Tenho o número particular do diretor Gautier. Um simples telefonema, e podem vir apanhá-los em domicílio. Mauléon ficaria no anonimato. Todo o sucesso da prisão seria do inspetor Victor, da Brigada Anticrime".

Se ele havia descartado essa opção, era porque queria entregar apenas Lupin em ação. O senhor Lupin deveria ser pego com a mão na massa e preso como um ladrão ordinário qualquer.

Mas não seria a hora? Os dois cúmplices não estavam presos na ratoeira?

No entanto, ele titubeou. Bressacq o chamou lá de cima. Victor fez sinal para que ele fosse paciente, e murmurou: "Como você é apressado, meu velho! Não tem medo da cadeia, como a sua querida amiga? Vamos, aproveite o momento, aja, embolse os dez milhões. Será a sua última proeza. Depois disso, Lupin, as algemas..."

Ele subiu.

A ANGÚSTIA

1

– Bem, meu querido amigo, o que o detinha? – perguntou Bressacq, quando Victor se aproximou da janela.

– Nada. Eu escutei...

– O quê?

– Ainda escuto... é preciso estar sempre atento.

– Ora! Não vamos exagerar – disse Bressacq em um tom que denunciava um certo desdém por tanta precaução.

Porém, de sua parte, teve todo o cuidado de percorrer o aposento com a lanterna. Ao avistar uma peça de tapeçaria antiga, pulou sobre uma cadeira, despregou-a e fixou-a no espelho unidirecional. Com todas as aberturas fechadas, ele ligou um interruptor, e a claridade tomou conta do espaço.

Então, ele beijou Alexandra e começou a dançar, ágil e silenciosamente, dando saltos entrelaçados, passos de cancã e de giga[4].

---

[4] Giga (em francês: *gigue*) é uma dança barroca popular, rápida e alegre. (N.T.)

A jovem sorriu com indulgência. Esta reação habitual de Lupin, quando ele entrava em ação, a divertia.

No entanto, Victor voltou a ficar carrancudo e sentou-se.

– Caramba! – exclamou Antoine com bom humor. – Podemos mesmo nos sentar? E o trabalho?

– Estou trabalhando.

– Maneira estranha de...

– O senhor se lembra de uma de suas aventuras... não me lembro qual... onde agia à noite, na biblioteca de um marquês, e que apenas contemplando o escritório descobriu uma gaveta secreta... Eu estou contemplando o aposento, enquanto o senhor dança. Faço como aprendi na sua escola, Lupin! Não existe outra melhor.

– Minha escola diz para agir com rapidez. Temos uma hora.

– Tem certeza que os dois guardiães, ex-detetives, não estão fazendo a ronda? – perguntou Victor.

– Não, não – afirmou Bressacq. – Se o grego organizasse rondas até esse aposento, revelaria que estava escondendo algo por aqui. Além do mais, vou abrir a porta para meus homens e, assim, acabar com qualquer tentativa por parte dos guardiães.

Ele fez a jovem se sentar e se debruçou sobre ela.

– Você não tem medo de ficar sozinha, tem, Alexandra?

– Não.

– Oh! Dez minutos, quinze no máximo. Tudo isso precisa ser rapidamente executado e sem complicações. Você quer que nosso amigo fique aqui?

– Não, não – ela disse –, vão... estou descansando.

Ele examinou a planta detalhada da casa e então abriu a porta lentamente. Um corredor, que formava uma antessala, conduziu-os a uma segunda porta, maciça, que o grego Sériphos devia fechar quando trabalhava no seu gabinete, e cuja chave encontrava-se na fechadura. Eles chegaram ao topo da escada, vagamente iluminada por um brilho vindo de baixo.

Eles desceram com enorme cautela.

No vestíbulo, perto da lâmpada acesa, Bressacq mostrou a Victor, no mapa, o quarto onde os dois guardiães dormiam. Era preciso passar por esse aposento para chegar ao quarto do grego Sériphos.

Eles alcançaram a porta de entrada. Dois enormes trincos... Bressacq os abriu. À direita, uma alavanca que regulava o dispositivo de alarme; ele a puxou para baixo. Perto dessa alavanca havia um botão, ele o pressionou, abrindo o portão do pequeno jardim que margeava o Boulevard Maillot.

Feito isso, empurrou a porta, colocou a cabeça para fora e deu um leve assobio.

Os três cúmplices, de silhuetas escuras, mal-encarados, juntaram-se a eles.

Bressacq não lhes disse uma palavra, já que tudo havia sido combinado de antemão entre eles. Voltou a fechar a porta e levantou a alavanca, depois ordenou baixinho a Victor:

– Eu os acompanharei até o quarto dos guardiães. A princípio, não vou precisar de você. Fique monitorando. – E desapareceu com seus cúmplices.

Assim que ficou sozinho, e certo de que tinha toda a liberdade para agir como bem entendesse, Victor puxou a alavanca para baixo, entreabriu a porta, deixando-a encostada, e acionou o botão que controlava o portão do Boulevard Maillot. Assim, a entrada da mansão teria acesso livre, como ele queria.

Em seguida, ouviu algo vindo dos quartos. A investida aconteceu, como disse Bressacq, sem complicações. Os dois guardas, surpreendidos na cama, foram firmemente amordaçados e amarrados, antes mesmo de reagirem.

Foi também o caso do grego Sériphos, perto de quem Bressacq permaneceu por alguns instantes.

– Não podemos tirar nada desse sujeito – disse Bressacq, ao reencontrar Victor. – Ele está morto de medo, mas foi exatamente quando eu lhe falei sobre o seu escritório, no segundo andar, que ele desfaleceu. Não nos enganamos a respeito. Vamos subir de novo!

– Seus homens também?

– Nunca! As buscas devem ser feitas somente entre nós.

Deu ordens expressas para não saírem do quarto, que vigiassem os três cativos e, sobretudo, que evitassem fazer o menor ruído, porque as mulheres, que formavam o quadro de empregados, dormiam no subsolo.

Em seguida, voltaram para perto de Alexandra. No topo da escada, Bressacq trancou a pesada porta do corredor, para que seus parceiros não o perturbassem. Em caso de alerta, eles teriam apenas de bater.

Alexandra não se mexeu de sua poltrona. Seu rosto pálido estava franzido.

– Ainda calma? – perguntou Victor. – Nenhum medo?

– Sim, sim – ela disse com uma voz alterada. – O medo me invade por todos os poros.

Victor brincou.

– É a fase da alegria! Esperemos que ela dure!

– Mas esse medo é absurdo! – exclamou Bressacq. – Ora, Alexandra, estamos seguros. Os guardiães estão amarrados e meus homens a postos. Se, por azar, corrêssemos algum risco iminente, a escada está aqui, e a fuga é garantida por esta saída. Mas, fique tranquila, não correremos nenhum risco, nem vai haver necessidade de fuga. Comigo nada é feito ao acaso.

Imediatamente, ele se pôs a catalogar o aposento.

– O problema – disse Victor – é encontrar um pacote pequeno e plano, de vinte a vinte e cinco centímetros de comprimento que possa conter uma quantia de dez milhões, em uma forma que não conhecemos...

Bressacq inventariava o quarto, em voz baixa, verificando gradativamente as indicações da planta.

– Na mesa, o telefone... alguns livros... arquivos de contas pagas ou a pagar... correspondência com a Grécia... correspondência com Londres... registros de contas... Nada! Nas gavetas, outros arquivos, outras correspondências. Nenhuma gaveta secreta?

– Não – afirmou Victor.

– Não – disse Bressacq, depois de verificar essa hipótese e apalpar o móvel e o interior das gavetas. Ele continuou: – A prateleira com as lembranças guardadas pelo grego... Retrato da filha... Retrato da neta... Apalpou os dois retratos para se certificar. Cesto de costura... Caixa de joias, vazia e sem fundo duplo – disse ele, e continuou procurando: – álbum de cartões postais, com paisagens da Grécia e da Turquia... Álbum infantil, com selos postais... Livros infantis de geografia... dicionários, que ele folheava enquanto falava, livro ilustrado, litúrgico... caixa de jogos... caixa para jetons... pequeno armário com espelhos para bonecas...

O aposento inteiro foi catalogado. Todos os objetos foram avaliados e vasculhados. Todas as paredes esquadrinhadas, os móveis submetidos a um exame também minucioso.

– Duas horas da manhã – constatou Victor que, sem se mexer, seguia e acompanhava o inventário de Bressacq distraidamente com os olhos. – Em uma hora, o dia vai amanhecer. Céus! Devemos pensar em nossa retirada, não?

2

– O senhor é louco! – replicou Antoine Bressacq. Ele não duvidava do sucesso. E debruçou-se sobre a jovem. – Ainda tranquila?

– Não, não – ela sussurrou.

– O que a atormenta?

– Nada... nada e tudo... Vamos embora daqui.

Ele teve uma crise de raiva e exclamou alto:

– Ah! Isso é que não... eu lhe disse... as mulheres deveriam ficar em casa, principalmente uma mulher como você, impressionável e nervosa.

Ela retomou:

– Se a situação se tornar insuportável para mim, vamos embora, certo?

– Ah! Isso, eu lhe prometo. Assim que a senhora nos intimar, partiremos; mas sem caprichos, eu lhe peço. Seria muito estúpido vir para roubar dez milhões, saber que eles estão aqui e sair de mãos vazias. Isso vai de encontro aos meus costumes.

Victor zombou, enquanto Bressacq voltava ao trabalho:

– Nosso trabalho é um espetáculo penoso para uma mulher. Ela certamente não digeriu bem esse roubo.

– Por que ela veio?

– Para ver como agiríamos no alvoroço de um assalto, no meio de policiais e para ver como ela mesma se comportaria. Ora, o nosso roubo é tudo o que há de mais banal e prosaico, um inventário de pequenos comerciantes nos fundos da loja. – E levantou-se abruptamente. – Ouçam.

– Não ouço nada – disse Bressacq.

– De fato, de fato – admitiu Victor –, pareceu-me...

– Vindo do terreno baldio? Eu ficaria surpreso. Coloquei a corrente de volta na cerca.

– Não, vindo da casa...

– Mas é impossível! – objetou Bressacq.

Fez-se um longo silêncio, perturbado apenas pelas buscas de Bressacq. Um objeto caiu, por culpa dele. A jovem levantou-se assustada.

– O que houve?

– Vamos ouvir... vamos ouvir... – exigiu Victor, que também se levantou.

– Mas o que é? – perguntou Bressacq.

Eles ouviram.

– Nenhum barulho – Bressacq disse.

– Sim, sim, dessa vez o barulho vem de fora, tenho certeza disso.

– Como o senhor é chato, droga! – pronunciou Bressacq, que começava a se irritar com esse colaborador *sui generis*, sempre tão alerta e, ao mesmo tempo, tão plácido. – Faria melhor se procurasse como eu.

Victor não se mexeu, e manteve-se de orelhas bem abertas. Um carro passou pelo *boulevard*. Um cachorro latiu em um quintal próximo.

– Eu também estou ouvindo – disse Alexandra.

– Além disso, eu notei a caminho – acrescentou Victor – que o senhor não considerou que a lua estava a ponto de se levantar e que a escada portanto logo ficará toda iluminada.

– Que se d...! – exclamou Bressacq.

Mesmo assim, para averiguar a situação, ele desligou a luz, afastou a tapeçaria, abriu o espelho unidirecional e debruçou-se. Quase que nesse mesmo momento, Victor e Alexandra o ouviram rosnando.

O que estava acontecendo? O que ele teria visto lá fora, no terreno baldio?

Ele entrou e, após alguns segundos, disse na escuridão:

– A escada foi removida!

Victor disparou um grito rouco, correu para a janela, e também resmungou. Então, voltando a fechar o vidro e recolocando a tapeçaria no lugar, por sua vez ele disse:

– A escada foi removida.

Um fato incompreensível e do qual Victor constatou seu terrível significado após acender as luzes.

– Uma escada não anda sozinha. Quem a retirou? Os policiais? Nesse caso, fomos notados, porque devíamos ter reparado onde ela acabava, ou seja, no segundo andar, nessa janela.

– E então?

– Teremos inevitavelmente de entrar na mansão e desvendar o mistério. Podemos esperar por uma ofensiva. A segunda porta está bem fechada, essa do final do corredor?

– Sim! Sim!

– Eles vão arrombá-la. O que foi isso, uma porta? Não, já vou dizer... foi a ofensiva! Nós três seremos pegos como coelhos em uma toca!

– Que exagero! – protestou Bressacq. – Eu não me deixo apanhar assim como o senhor imagina!

– Mas como a escada foi removida...

– E as janelas?

– Estamos no segundo andar, e os andares são muito altos. Talvez o senhor consiga sair por aqui, mas nós não. Além do mais...

– Além do mais? – resmungou Bressacq.

– O senhor sabe bem que as persianas externas são conectadas por fios a um sistema de sinal de alerta. O senhor pode imaginar, as campainhas tocando à noite?

Bressacq olhava para ele com hostilidade. Por que esse sujeito, em vez de agir, contentava-se em enumerar e em aumentar todos os obstáculos?

Prostrada em uma poltrona, Alexandra cerrava os punhos contra as bochechas. Tudo o que ela tinha em mente era a ideia de conter o medo que borbulhava dentro dela. E por isso ela não se mexeu, não disse uma palavra.

Antoine Bressacq abriu uma das janelas com cautela. Nenhum alerta foi acionado. Portanto, eram as persianas que controlavam os sinais de alerta. Ele as examinou cuidadosamente, de cima a baixo, e em todos os seus entalhes.

– Pronto! Veja... não sei onde o mecanismo está escondido, mas aqui está o fio de metal que se arrasta para fora, em direção a uma campainha que deve estar no andar térreo.

Ele cortou rapidamente o fio com um pequeno alicate. Depois, levantou uma trava com a barra de ferro que prendia as quatro persianas. Só restava empurrar. Ele arriscou um gesto, bem lentamente, acertou de primeira. No aposento, ressoou uma campainha do teto, como que empurrada por uma mola de forte propulsão.

3

Rapidamente, Bressacq colocou as persianas de volta, fechou a janela e as cortinas para evitar que o barulho se alastrasse para fora. Mas, por dentro, o crepitar da campainha de alarme vibrava estridente, alucinante e em um ritmo que parecia cansar a si própria.

Victor disse, serenamente:

– Existem dois fios: um exterior, que o senhor cortou, e o outro interior. Assim, os residentes da mansão certamente serão avisados.

"Idiota", disse Bressacq sussurrando.

Bressacq já havia arrastado uma mesa para o canto do aposento de onde vinha o som da campainha. Equilibrou uma cadeira sobre essa mesa e subiu. Ao longo da cornija, corria o segundo fio condutor; ele o cortou e o barulho irritante cessou.

Antoine desceu e colocou a mesa de volta no lugar.

Victor lhe disse:

– Não há perigo agora. O senhor pode passar por essa janela, já que os alarmes pararam de soar.

Bressacq caminhou até ele e o agarrou pelo braço.

– Eu vou quando eu quiser. E só vou querer quando encontrar o pacote de dez milhões.

– Impossível! O senhor não vai encontrar.

– E por quê?

– Não temos tempo.

– O que está dizendo? – esbravejou Bressacq, sacudindo-o. – O senhor só fala bobagem. A escada deve ter escorregado e tomado distância, ou então foi levada por gente que faz piada de mau gosto, ou por gente que precisava usá--la. E não há nada de real nos seus temores. Os guardiães estão amarrados... meus homens estão de olho. Temos apenas de continuar nosso trabalho.

– O tempo terminou.

Bressacq mostrou-lhe os punhos. Estava fora de si:

– Eu vou jogá-lo pela janela, meu velho. Quanto a sua parte... nada! É o que lhe convém pelo seu pouco caso e sua pouca ajuda. – Ele se interrompeu. Alguém assobiou lá de fora. Uma modulação leve e breve que se estendia do terreno baldio.

– Dessa vez o senhor escutou? – perguntou Victor.

– Sim, vem da rua, algum transeunte tardio...

– Ou os tipos que tiraram a escada e que estão no terreno baldio... foram chamar a polícia.

Era insuportável. Estavam diante de um perigo real, preciso, mas o perigo espreitava sem que ninguém soubesse de onde ele vinha e qual era a sua natureza. "Existia mesmo o perigo?", Bressacq se perguntou. O medo crescente de Alexandra e o comportamento estranho desse maldito homem o incomodavam e o enfureciam.

Cerca de quinze minutos se passaram, durante os quais suas angústias iam crescendo diante de todo o misterioso silêncio e da atmosfera pesada e ameaçadora que os sufocava. Alexandra grudou no encosto de uma poltrona, com os olhos fixos na porta fechada, por onde o inimigo poderia entrar. Bressacq retomou seu trabalho, mas o abandonou de repente, contrafeito, com a cabeça a mil por hora.

– O negócio foi mal combinado – disse Victor.

Bressacq explodiu de raiva e agarrou esse a quem ele chamava de meu velho. Victor respondeu, repetindo com um tom sarcástico:

– O negócio foi mal combinado. Não sabemos para onde vamos. É confusão em cima de confusão. Que bagunça!

Bressacq o insultou. Eles poderiam ter se engalfinhado se Alexandra não tivesse corrido na direção deles para separá-los.

– Vamos sair daqui! – ela ordenou com vigor.

– Depois de tudo isso, sim! – exclamou Bressacq, pronto para desistir. – O caminho está livre.

Os dois caminharam até a porta, quando Victor disse com agressividade:

– Vou ficar!

– De jeito nenhum! O senhor também vai embora.

– Vou ficar. Quando começo algo, vou até o fim. Lembre-se de suas palavras, Bressacq: "Os dez milhões estão aqui. Sabendo disso, partiríamos de mãos vazias? Isso vai de encontro aos meus costumes". Aos meus também. Eu fico.

Bressacq voltou-se para ele:

– O senhor tem muita audácia! E, no fundo, eu fico me perguntando qual é o seu exato papel nisso tudo.

– O papel de um cavalheiro farto de tudo isso.

– Qual é sua intenção?

– A de retomar o negócio sobre uma nova base. Repito, foi mal combinado. Má preparação, má execução. Eu começo de novo.

– O senhor é maluco! Recomeçaremos mais tarde.

– Mais tarde é tarde demais. Eu recomeço imediatamente.

– Mas como, em nome de D...?

– O senhor não sabe inspecionar, nem eu. Além do mais, existem especialistas para isso.

– Especialistas?

– Nos dias de hoje, tudo se especializa. Conheço alguns peritos em inspeção. Vou ligar para um. – Ele caminhou até o telefone e pegou o gancho. – Alô...

– Droga! O que o senhor está fazendo?

– A única coisa possível e razoável. Estamos infiltrados, devemos aproveitar a situação e sair apenas com a fortuna nas mãos. Alô, senhorita, pode me passar o Tribunal de Justiça Criminal...

– Mas quem é o seu perito?

– Um de meus amigos. Os seus são desajeitados, e o senhor não confia neles. O meu é um ás, ele vai resolver a situação em um segundo. O senhor vai ficar pasmo. Alô... é do Tribunal de Justiça Criminal? Ah! É o senhor, chefe? Sou eu, Marcos Avisto. Estou no segundo andar de uma mansão, no número 98 do Boulevard Maillot, junte-se a mim. O portão do pátio e a porta da mansão estão abertos. Pegue dois carros e venha com quatro ou cinco homens, incluindo Larmonat... O senhor encontrará três cúmplices de Arsène Lupin no andar de baixo que tentarão protestar. No segundo andar, Lupin, nocauteado, amarrado como uma múmia.

Victor parou por um momento. Com a mão esquerda, segurava o gancho. Com a direita, apontou um revólver Browning para Bressacq, que avançava com os punhos cerrados.

– Nada de surpresas, Lupin – exclamou Victor – ou o abato como a um porco! – Ele continuou ao telefone: – Entendido, chefe! Em quarenta e cinco minutos vocês estarão aqui. O senhor reconheceu minha voz, não é? Nenhum engano? Sim, Marcos Avisto, quer dizer... quer dizer... – Ele fez uma pausa, sorriu para Bressacq, cumprimentou a jovem, jogou seu revólver para o outro lado do aposento: – Inspetor Victor, da Brigada Anticrime.

O TRIUNFO DE LUPIN

1

Victor, da Brigada Anticrime! O famoso Victor que, pouco a pouco, graças a sua excepcional clarividência, havia desfeito o nó desse caso! Que desmascarou, em vinte e quatro horas, os três primeiros portadores do envelope pardo! Que havia descoberto o padre Lescot! Que rastreou o barão d'Autrey e o levou ao suicídio! Que frustrou as maquinações de Félix Devalle! Era ele, disfarçado de peruano, Marcos Avisto.

Bressacq suportou o impacto sem reagir. Deixou Victor colocar o gancho no lugar, pensou por alguns segundos, e, por sua vez, sacou o seu revólver.

Alexandra, adivinhando o gesto, jogou-se sobre ele, perplexa:

– Não... não! Isso, não!

Ele lhe sussurrou, pela primeira vez, com menos formalidade:

– Você tem razão. Além do mais, o resultado será o mesmo.

Victor o provocou.

– Que resultado, Bressacq?

– O resultado da nossa luta.

– Na verdade, ele já estava liquidado com antecedência – disse Victor, que consultou seu relógio. – Duas e meia... Calculo que em quarenta minutos, o meu chefe, senhor Gautier, diretor da polícia judiciária, escoltado por alguns de seus bufões, vai colocar as mãos no senhor Lupin.

– Sim, alcaguete, mas e daqui até lá?

– Até lá...

– Muita água vai rolar por debaixo dessa ponte.

– Você está certo disso?

– Quase tão certo quanto você. Até lá, o senhor Victor...

Bressacq acomodou-se confortavelmente, senhor de si, os braços cruzados sobre o peitoral largo, mais alto que seu oponente, e mais sólido e vigoroso na aparência do que o velho inspetor de rosto enrugado e de ombros caídos!

– Até lá – disse Victor, também menos formal –, até lá, você ficará bem calminho, meu bom Lupin. Um estalo e tudo estará acabado, hein? Você é um brincalhão! Hoje, não se trata de músculos ou de bíceps, mas de cérebro. Verdade, sob esse aspecto, Lupin, você tem se mostrado péssimo nas últimas três semanas! Que decadência! É isso, o famoso Lupin que fiz de espantalho? Lupin, o invencível! Lupin, o gigante! Ah! Lupin, eu me pergunto se não foi a sorte que o ajudou até agora, e se todas as suas vitórias e fama não vêm do fato de você nunca ter encontrado na sua frente um adversário confiante como eu! Como eu! – Victor bateu no peito, repetindo alto estas duas palavras: – Como eu! Como eu!

Antoine Bressacq balançou negativamente a cabeça.

– É preciso reconhecer que você conduziu muito bem o navio, policial. Todas as suas encenações com Alexandra foram de alto nível! O roubo da presilha, seu roubo na casa do receptador... admirável tudo isso! E a agitação no Hotel Cambridge, a maneira como você nos salvou!... Caramba, como eu poderia desafiar um ator assim! – Bressacq segurava o relógio na mão, sem parar de olhá-lo.

Victor lhe disse, zombeteiro:

– Você está tremendo, Lupin!

– Eu?

– Sim, você! Agora você não consegue mais esconder, mas o que acontecerá quando o pegarmos? – Victor morreu de rir. – Sim! Que baita susto você tomou agora há pouco! E era isso o que eu queria: mostrar que você não tem mais coragem do que um frouxo e o desmascarar na frente da Alexandra, de quem você ridicularizava! Hein! O golpe da escada desaparecida? Mas ela está a um metro de distância, lá onde eu a empurrei ao passar por cima do balcão da janela... Ah! Como você se amedrontou naquele momento! A prova é a de que você não reagiu quando eu telefonei, e de que ainda não reage, e de que no final das contas, você vai tentar levantar acampamento pela porta, sem os milhões.

Antoine Bressacq não reagia, nem se alterava.

Victor caminhou e exclamou:

– Lute, seu covarde! Ora, sua amante está olhando! Você está doente? Um pouco sem força, talvez? Vamos, uma palavra! Um gesto!

Bressacq não vacilou, ele parecia indiferente ao sarcasmo de Victor, tanto que alguém poderia até pensar que ele não o ouvia. Após voltar os olhos para Alexandra, ele a viu de pé, com o olhar obstinado e intensamente fixo no inspetor Victor.

Ele olhou para o relógio uma última vez.

– Vinte e cinco minutos – disse ele sussurrando. – Isso é muito mais do que eu preciso.

– Muito mais – disse Victor. – Um minuto para descer os dois andares e outro para sair da mansão com seus amigos.

– Vou precisar de um minuto extra – disse Bressacq.

– Para quê?

– Para puni-lo.

– Diabos! Uma palmada?

– Não, uma bela surra na frente da minha amante, como você diz. Quando a polícia chegar, ela vai encontrá-lo um pouco arranhado, ensanguentado, bem amarrado...

– E com o seu cartão de visitas estampado na testa.

– Precisamente, a carta de Arsène Lupin. Respeitemos as tradições.

– Alexandra, abra a porta.

Ela não se mexeu. Era a emoção que a paralisava? Bressacq correu para a porta e imediatamente rosnou.

– Droga! Está trancada!

– Como? – ironizou Victor, dando um meio sorriso. – Você não percebeu que eu a tinha trancado?

– Dê-me a chave!

– Existem duas, esta e a da outra porta no final do corredor.

– Dê-me as duas!

– Isso seria muito cômodo, você desceria as escadas e sairia. Não. É preciso que você saiba que, entre você e a saída, existe o desejo de Victor, da Brigada Anticrime. Definitivamente, toda a operação está aqui, como eu a concebi e a executei. Você ou eu! Lupin ou Victor! O jovem Lupin com seus três amigos valentões, um revólver, algumas adagas, uma cúmplice. E o velho Victor, sozinho e desarmado. Como testemunha da batalha, como árbitro do duelo, a bela Alexandra.

Bressacq foi em sua direção, implacável, a fisionomia rígida.

Victor não mexeu um dedo. Não tinha mais nada a dizer. O tempo se esgotava. Antes que a polícia interviesse, o velho Victor devia ser castigado, abatido, e que lhe tomassem as chaves.

Mais dois passos de Bressacq. Victor começou a rir.

– Vá em frente! Não fique com pena dos meus cabelos brancos! Vamos, coragem!

Mais um passo. E de repente, Bressacq pulou em cima do adversário e já no primeiro golpe, com todo o seu peso, o esmagou. Eles rolaram e se embolaram pelo chão, fazendo com que o duelo logo assumisse uma natureza feroz, quase selvagem. Victor tentava se afastar, parecia impossível se desvencilhar de Bressacq.

Alexandra acompanhou a cena com pavor, mas não se mexeu, como se não quisesse influenciar no resultado. Ela se importava com quem sairia vitorioso? Parecia que ela esperava para saber, com ansiosa avidez.

A incerteza não durou muito. Apesar da superioridade física de Bressacq, e apesar da idade de Victor, foi Victor quem se levantou, nem o fôlego havia perdido. Ele sorria, parecendo amigável, como não era de costume, e fez gracinhas, como um lutador circense que "tombou" seu oponente.

O outro estava imóvel, inerte, machucado.

2

A fisionomia da jovem traía o espanto que sentiu diante de tal desfecho. Era óbvio que ela nem por um momento havia considerado a derrota de Antoine Bressacq, e que aquele corpo estendido lhe parecia um espetáculo inconcebível.

– Não se preocupe – disse Victor, vistoriando os bolsos de Bressacq, tirando-lhe o revólver e a adaga. – Apliquei-lhe um golpe à minha moda, cujo resultado é infalível. O murro é dado no peito sem a necessidade de recuo ou de impulso, e sem grandes consequências. Só é doloroso, e fica-se desnorteado por uma hora, pobre Lupin.

Mas ela não ficou preocupada. Ela já havia tomado partido, e pensava apenas no que poderia acontecer e quais seriam as intenções daquele impressionante indivíduo que, mais uma vez, a atordoava.

– O que o senhor vai fazer com ele?

– Como assim? Vou entregá-lo. Em cerca de um quarto de hora, ele estará algemado.

– O senhor não vai fazer isso! Deixe-o partir.

– Não.

– Eu lhe imploro.

– A senhora me implora em nome desse homem, mas e em seu nome?

– Não peço nada para mim. Faça de mim o que quiser – disse isso com uma calma estranha, vinda de uma mulher que antes tremia de medo e que se sentia ameaçada pelo perigo imediato. Havia um tom desafiador em seu olhar pacato, até mesmo de arrogância.

Ele se aproximou dela e disse baixinho:

– O que eu quiser? Quero que a senhora saia daqui, e sem mais nem um minuto a perder.

– Não.

– Uma vez que meus chefes cheguem aqui, não poderei mais me responsabilizar pela senhora. Vá embora!

– Não. Sua atitude me prova que o senhor sempre age à sua maneira, à margem da polícia, e mesmo contra ela se lhe for mais conveniente. Já que me oferece a fuga, salve Antoine Bressacq. Caso contrário, ficarei.

Victor se irritou.

– Então a senhora o ama?

– A questão não é essa. Salve-o.

– Não, não.

– Então, eu fico.

– Vá embora!

– Vou ficar.

– Pior para a senhora! – exclamou ele com raiva. – Mas não há nada no mundo que me obrigue a salvá-lo. Entendeu? Toda a minha vida volta-se apenas para esse fim... detê-lo!... desmascará-lo!... Ódio contra ele? Sim, talvez, mas acima de tudo um grande desprezo.

– Desprezo? Por quê?

– Por quê? Eu vou lhe dizer, já que a senhora nunca enxergou a verdade, que é tão óbvia!

Bressacq levantou-se de novo, muito pálido, sem fôlego, e caiu sentado. Dava para ver que ele pensava apenas em fugir e que reconhecia sua irremediável derrota.

Com as duas mãos, Victor segurou a cabeça da jovem e falou categórico:

– Não me olhe, não me pergunte com a avidez dos seus olhos... Não é a mim que deve olhar, é a ele, é ele o homem que a senhora ama, ou melhor, cuja lenda a senhora ama, a coragem indomável, a fonte sempre renovada. Mas olhe para ele, em vez de se distanciar dele! Olhe e admita que ele a desapontou. A senhora esperava mais do que isso, não é? Um Lupin que agora não lhe parece mais o mesmo!

Ele ria, impiedoso, com seu dedo apontando para o derrotado. Ela mostrava-se atordoada.

– Um Lupin poderia se aventurar como um menino que ainda usa fraldas? Não vamos falar sobre seus erros já no início do acordo, a maneira como eu o conquistei pela astúcia. Primeiro por seu intermédio, e depois diretamente na casa dele, em Neuilly. Mas, aqui, essa noite, o que ele fez? Por duas horas, é um fantoche que eu manipulo como quero, uma marionete! Isso, um Lupin? Sim, um simples merceeiro que faz o seu inventário. Nem um lampejo! Nem uma ideia! Enquanto eu o manejava, enquanto eu atiçava o medo nele, ele gaguejava feito um tolo. Olhe para ele, o seu Lupin de araque. Porque eu lhe provoquei um frio na barriga, ele fica pálido como se fosse vomitar! A derrota? O verdadeiro Lupin nunca aceitou a derrota, é quando está quebrado que ele se levanta.

Victor se levantou. Ficou subitamente mais alto. Bem perto, tremendo, Alexandra sussurrou:

– O que o senhor quer dizer? Do que o senhor o acusa?

– É a senhora que o acusa.

– Eu? Eu não entendo...

– Sim. A verdade começa a lhe envolver... A senhora realmente acredita que esse homem tem a grandeza que a senhora lhe atribuiu? Era esse a quem a senhora amava ou a um outro maior, um verdadeiro líder, que não pode ser esse reles aventureiro? Um líder – acrescentou batendo no peito – se reconhece pelos sinais! Um líder permanece líder em qualquer situação! Como a senhora pôde ser tão cega?

– O que o senhor quer dizer? – ela repetiu com perplexidade. – Se me enganei, diga. Quem é ele?

– Antoine Bressacq.

– E quem é Antoine Bressacq?

– É Antoine Bressacq, nada mais.

– Claro que sim, há um outro homem nele! Qual seria?

– Um ladrão! – exclamou Victor violentamente. – Um ladrão de nome e de personalidade! Quando se tem poucos recursos e uma mente medíocre, é mais cômodo roubar uma glória já pronta! Da noite para o dia, ganha-se pompa! Joga-se areia nos olhos dos outros! No escuro, insinuamos a uma mulher: "Eu sou Lupin", e, se essa mulher foi devastada pela vida, e está em busca de emoções, procurando por algo extraordinário e impossível, então representa-se o papel de Lupin, mais mal do que bem, até o dia em que os acontecimentos o reduzem e o jogam no chão, como um fantoche.

Ela murmurou, roxa de vergonha:

– Oh! Isso é possível? Tem certeza?

– Veja-o, como eu lhe pedi desde o início, e a senhora também terá certeza.

Ela não se virou, a realidade a constrangia. Era Victor a pessoa que ela admirava com seus olhos em chamas, como se outros pensamentos, involuntários e confusos, invadissem-na lentamente.

– Vá embora! – pediu ele. – Os homens de Bressacq devem reconhecê-la e deixá-la passar. Senão, a escada está a minha disposição...

– De que adiantaria? – perguntou ela. – Prefiro esperar.

– Esperar pelo quê? Pela polícia?

– Nada mais me importa – disse ela assolada. – Porém... um pedido.

– Qual?

– Os três homens lá embaixo são bem valentões. Quando os policiais chegarem, pode haver uma batalha com vítimas... Não podemos...

Victor observou Bressacq que ainda parecia sentir muita dor, incapaz de fazer qualquer esforço. Então ele abriu a porta, correu até o fim do corredor e assobiou. Um dos três homens subiu correndo.

– Fujam rápido, a polícia está chegando! E, sobretudo, não esqueçam de deixar o portão do jardim aberto.

Em seguida, voltou ao escritório. Bressacq não tinha se mexido. Alexandra também não tinha se aproximado dele, nenhuma troca de olhar entre eles, dois estranhos.

Dois ou três minutos se passaram. Victor escutou o som do estrondo de um motor. Um carro parou na avenida, em frente à mansão, e depois um segundo carro.

Alexandra segurava o encosto da poltrona, suas unhas arranhavam o tecido. Ela estava pálida, mas se controlava.

Vozes altas ecoaram do térreo; depois, o silêncio.

Victor sussurrou:

– O senhor Gautier e seus agentes entraram nos quartos. Eles estão libertando os guardiães e o grego.

Naquele momento, Antoine Bressacq encontrou forças para se levantar e caminhar até Victor. Seu rosto talvez estivesse mais desconfigurado pela dor, do que pelo medo. Ele balbuciou, apontando para Alexandra:

– O que vai ser dela?

– Não se preocupe com isso, ex-Lupin, não é mais da sua conta. Pense apenas em você. Bressacq é um nome falso, não é?

– Sim.

– Podemos encontrar o verdadeiro Bressacq?

– Impossível!

– Nenhum crime?

— Não. Exceto a punhalada em Beamish. E ainda nada comprova que seja eu o seu autor.

— Roubos?

— Nenhuma prova concreta.

— Em suma, alguns anos de prisão.

— Não mais que isso.

— Você os merece. E depois? Viver do quê?

— Das apólices.

— O esconderijo onde você as colocou é seguro?

Bressacq sorriu.

— Melhor do que aquele do d'Autrey no táxi. Infalível.

Victor deu um tapinha em seu ombro.

— Vamos, você vai se sair bem, melhor assim. Eu não sou um sujeito ruim. Você me deu náuseas ao roubar o belo nome de Lupin e ao reduzi-lo, um homem da grandeza dele, a seu nível. Isso eu não perdoo, e é por isso que vou prendê-lo. Mas, porque você conseguiu perceber a jogada do táxi, não vou lhe imputar mais acusações.

Vozes ressoaram ao pé da escada.

— São eles – disse Victor. – Estão revistando o vestíbulo e logo vão subir.

Tudo parecia se resolver. Ele parecia levado por uma alegria repentina e, por sua vez, começou a dançar com surpreendente agilidade. E foi engraçado, aquele senhor distinto, de cabelos grisalhos, executando *entrechats* e zombando:

— Olha aqui, meu querido Antoine, isso é um salto à moda Lupin! Nada a ver com os seus pulinhos de excitação de agora há pouco! Ah! É preciso ter o fogo sagrado da paixão, o êxtase de um verdadeiro Lupin que ouve a polícia, que está só, rodeado de inimigos, e a quem se poderia apontar, na frente dos policiais: "É ele, Lupin! Não existe nenhum Victor, da Brigada Anticrime. Existe apenas Lupin. Lupin e Victor são apenas um. Se vocês quiserem deter Lupin, detenham Victor". – Parou, de repente, na frente de Bressacq e lhe disse: – Olha aqui, eu o perdoo. Só por ter me oferecido um minuto como esse, reduzo sua pena a dois... a um ano de prisão. Em um ano, eu o tiro de lá. De acordo?

Bressacq balbuciou, pasmo:

– Quem é o senhor?

– Você já o disse, meu caro.

– Hein? O quê? O senhor também não é o Victor?

– Havia, de fato, um Victor Hautin, oficial de um departamento ultramarino francês e candidato ao cargo de inspetor de Segurança Pública. Mas ele morreu, deixando-me seus documentos, na hora mesmo em que eu queria me divertir, desempenhando um papel na polícia de vez em quando. Nenhuma palavra sobre isso, hein! Deixe que eles o tratem por Lupin, é melhor assim. Além disso, não fale sobre sua pequena mansão em Neuilly, e nem uma palavra contra Alexandra. Entendido?

As vozes se aproximavam. Além dessas vozes, podiam-se ouvir outras menos distintas.

Victor, que ia prevenir o senhor Gautier, disse à jovem ao passar:

– Esconda o seu rosto atrás do lenço. E, acima de tudo, não tenha medo de nada.

– Não tenho medo de nada.

O senhor Gautier chegou correndo, escoltado por Larmonat e por um outro agente. Ele parou na entrada e contemplou o cenário com satisfação.

– Bem, Victor, caso encerrado! – ele exclamou com alegria.

– Encerrado, chefe.

– Esse sujeito é o Lupin?

– Em pessoa, sob o codinome de Antoine Bressacq.

O senhor Gautier contemplou o prisioneiro, sorriu-lhe amavelmente, e ordenou ao agente para que lhe passasse os grilhões de ferro.

– Nossa! Como isso me dá prazer! – ele sussurrou. – A prisão de Arsène Lupin: o famoso, o universal, o invencível Arsène Lupin, capturado, encarcerado! A polícia triunfa! Essa não é a regra, em se tratando de Lupin, mas agora a realidade é essa. Arsène Lupin é detido por Victor, da Brigada Anticrime. Nossa! Hoje é um dia histórico! Victor, o cavalheiro se comportou bem?

– Como um cordeirinho, chefe.

– Parece um pouco arrebentado.

– Nós brigamos um pouco.

O senhor Gautier voltou-se para Alexandra, que estava arqueada, com o lenço contra os olhos.

– E quanto a essa mulher, Victor?

– Amante e cúmplice de Lupin.

– A mulher do cinema? A mulher do La Bicoque e da Rua de Vaugirard?

– Sim, chefe.

– Meus cumprimentos, Victor. Que arrastão, esse! O senhor vai me contar tudo em detalhes. Quanto às apólices, desapareceram? Colocadas em segurança por Lupin?

– Estão no meu bolso – anunciou Victor, tirando do envelope as nove apólices do governo.

Bressacq deu um salto ali mesmo, transtornado. Ele falou bruscamente para Victor.

– Seu desgraçado!

– Tudo a seu tempo! – exclamou Victor. – Até que enfim você reage! Esconderijo infalível, você dizia? Uma antiga canalização no seu casarão... Você chama isso de infalível? Tola criança! Logo na primeira noite eu o descobri.

Ele chegou perto de Antoine Bressacq, e disse bem baixinho, para que fosse ouvido apenas por ele:

– Cale-se... eu vou devolver. Sete ou oito meses de prisão, não mais e, quando você sair, uma boa pensão integral de ex-militar e uma tabacaria. Que tal?

No entanto, os outros agentes iam chegando. Eles haviam libertado o grego, que, apoiado em seus dois guardiães, agitava os braços e gritava.

Quando ele viu Bressacq, de pronto esbravejou:

– Eu o reconheço! Foi ele que me bateu e que me amordaçou! Eu o reconheço!

Mas ele se conteve, aterrorizado. Tiveram de escorá-lo. Com a mão estendida para a prateleira que acomodava suas recordações, ele gaguejou:

– Eles me roubaram os dez milhões! O álbum de selos postais! Uma coleção sem preço! Eu poderia revendê-lo por dez milhões. Ofereceram-me essa soma por diversas vezes... E é ele, é ele! Que o revistem! Miserável! Dez milhões!

3

Revistaram Bressacq que, em seu desânimo, não oferecia nenhuma resistência.

Victor sentiu pesar sobre ele dois inflexíveis olhares, o de Alexandra, que afastou o lenço e levantou a cabeça, e o de Bressacq, que o fitava com espanto. Os dez milhões desaparecidos!

"Mas, nesse caso?" A mente de Bressacq ia clareando-se. Ele murmurou algumas palavras, como se fosse formular seus pensamentos em voz alta, um pensamento acusador, e se defender, e defender Alexandra.

Mas o olhar de Victor, fixo em Bressacq, era tão dominador que ele, profundamente submetido a esse homem, ficou em silêncio. Antes de acusar, era preciso pensar. Era preciso compreender, e ele não conseguia compreender como é que os dez milhões tinham desaparecido, já que só ele vasculhara e não descobrira nada, e que Victor nem havia se mexido.

Victor acenou com a cabeça e disse:

– As afirmações do senhor Sériphos me surpreendem. Fiz amizade com Antoine Bressacq e o acompanhei até aqui, e nunca deixei de observá-lo durante a sua busca, mas ele não encontrou nada.

Todos se mantiveram em silêncio. Victor continuou:

– Contudo... Contudo, Bressacq tinha três cúmplices que fugiram, e dos quais tenho a descrição. Sem dúvida foram eles que, de antemão, levaram o dinheiro, ou melhor, esse álbum de que fala Sériphos.

Bressacq deu de ombros. Ele sabia muito bem que seus três cúmplices não haviam entrado nesse aposento. No entanto, não disse nada, não havia nada a fazer. De um lado, a Justiça e todo o seu poder... do outro, Victor. Ele escolheu Victor.

Assim, às três e meia da manhã, deram por encerrado o dia. As investigações ficariam para mais tarde. O senhor Gautier decidiu levar Antoine Bressacq e sua amante à polícia judiciária, a fim de interrogá-los sem demora.

Telefonaram para o comissariado de Neuilly. O aposento foi fechado, dois agentes permaneceram no casarão com os guardiães e o grego Sériphos.

O senhor Gautier e dois inspetores fizeram Bressacq entrar em um dos carros da polícia. Victor, acompanhado por Larmonat e outro agente, encarregou-se da jovem.

O alvorecer começava a clarear o horizonte no momento em que partiram do Boulevard Maillot. O ar frio penetrava com intensidade. Atravessaram a área verde da cidade e, pela Avenida Henri-Martin, seguiam em direção ao cais.

O primeiro automóvel pegou um caminho diferente.

Alexandra, quieta em seu canto, permaneceu invisível, sempre escondida pelo lenço. Instalada perto de uma janela aberta, tremeu de frio. Victor subiu o vidro e, mais tarde, ao se aproximarem do Comando Geral da Polícia, mandou o motorista parar e disse a Larmonat:

– Estamos congelando, devemos nos aquecer novamente. O que você acha?

– Claro que sim.

– Então vá buscar duas xícaras de café para a gente. Eu não me mexo daqui.

Os veículos dos agricultores que iam para Halles estavam estacionados na frente de uma loja de vinhos, cuja porta permanecia entreaberta. Larmonat desceu rapidamente. Em seguida, Victor também despachou o outro inspetor.

– Peça ao Larmonat para que ele traga *croissants* também. E para que a gente se apresse!

Ele abaixou o vidro que o separava do motorista, esticou o braço e, quando o motorista se virou, ele o surpreendeu com um soco violento no queixo. Depois, abriu a porta do lado oposto ao meio-fio, subiu de volta no carro pela porta do carona, agarrou o motorista inconsciente, puxou-o para fora do carro, colocou-o na calçada e ocupou seu lugar ao volante.

O cais estava deserto, ninguém viu a cena. Depressa, ele ligou o carro e acelerou ao longo da Rua de Rivoli e da Avenida Champs-Élysées, e retomou a estrada para Neuilly, até a Avenida de Roule, onde ficava o pequeno casarão de Bressacq.

– A senhora tem a chave?

– Sim – disse Alexandra, que parecia bem calma.

– A senhora pode ficar aqui, sem medo, por dois dias. Depois, esconda-se na casa de alguma amiga. Mais tarde, a senhora parte para o exterior. Adeus!

Ele se afastou, ainda no carro da polícia. Nesse momento, o diretor da polícia judiciária já havia sido informado do inacreditável comportamento de Victor e de sua fuga com a prisioneira. Foram até a sua casa. O velho criado tinha ido embora naquela manhã com seu patrão e com alguns pacotes, no carro da polícia, é claro, que foi encontrado, horas depois, abandonado no meio do Bosque de Vincennes.

O que isso significava?

Os jornais da noite relataram todo o episódio sem divulgar uma única hipótese provável. Apenas no dia seguinte o enigma foi resolvido, através da célebre mensagem de Arsène Lupin, comunicada pela agência de notícias Havas ao mundo todo, provocando uma explosão de deleite e de escândalo. Eis seu conteúdo exato e detalhado.

Devo alertar ao público que o papel do inspetor Victor, da Brigada Anticrime, terminou. Nos últimos dias, e, no que diz respeito ao caso das apólices do governo, esse papel consistia, sobretudo, em perseguir Arsène Lupin, ou melhor, para que a Justiça e para que o público não fossem mantidos na mais absoluta ignorância; em desmascarar o senhor Antoine Bressacq, esse que usurpou o respeitável nome e a personalidade brilhante de Arsène Lupin. Victor, da Brigada Anticrime, empregou uma energia colérica, comprovando a sua revolta contra tais métodos.

Hoje, graças a Victor, o pseudo Lupin se encontra atrás das grades, e Victor, da Brigada Anticrime, depois de ter a sua missão cumprida, desapareceu.

Mas ele não admite que sua irretocável honradez de policial possa ser enxovalhada pela mais leve baixeza e, levando os escrúpulos de sua consciência a um ponto que causaria espanto, ele não quis manter consigo as nove apólices do governo, entregando-as para mim, com a missão de enviá-las ao Comando Geral da Polícia.

Quanto à descoberta dos dez milhões, essa é uma façanha que merece ser esclarecida em seus detalhes, caso se deseje conhecer todos os recursos e toda a engenhosidade de um homem que, sentado em sua cadeira e sem se preocupar em fazer o menor movimento, desvendou um complicado mistério. Um dos dossiês do senhor Sériphos trazia a menção que orientou a pesquisa de Antoine Bressacq: "Dossiê ALB", que Bressacq interpretou como: "Dossiê da Albânia". Porém, quando Bressacq, detendo algumas informações, listou em voz alta na outra noite, o inventário do aposento no segundo andar, no casarão do

Boulevard Maillot, ele enumerou, entre os objetos de recordação devotamente preservados: "Álbum de fotografias... álbum de selos postais". E, como que por milagre, essas poucas palavras foram suficientes para iluminar a mente atenta de Victor, da Brigada Anticrime!

Sim, na mesma hora Victor adivinhou que a interpretação de Antoine Bressacq estava errada, e que essas três letras ALB deveriam e só poderiam ser as três primeiras letras da palavra álbum. Os dez milhões, que somavam a metade da fortuna do senhor Sériphos, não estavam em um dossiê da Albânia, mas simplesmente em um álbum de infância, sob a forma de uma coleção de selos postais raríssimos, no valor de mercado de dez milhões. Não foi incrível essa intuição? Com um simples gesto de Victor, no tumulto da operação e no desatino das idas e vindas, o álbum de selos postais foi parar em seu bolso, sem o conhecimento de ninguém.

E esse gesto não conferiria a Victor, da Brigada Anticrime, um direito incontestável sobre os dez milhões? Na minha opinião, sim. Não, segundo Victor, cuja consciência é feita de delicadeza e de elegância sentimentais. Por isso, fez questão de me entregar, junto às apólices, o álbum de selos postais, deixando suas mãos limpas diante de qualquer infâmia profissional.

Envio as apólices pelo correio, porque se trata de uma grande dívida, ao senhor Gautier, diretor da polícia judiciária, transmitindo-lhe todo o reconhecimento do inspetor Victor. Pelos dez milhões, dado que o senhor Sériphos é significativamente rico, e que os manteve indevidamente como uma inútil coleção de selos postais, considero que eu mesmo devo devolvê-los ao mercado, até o seu último cêntimo. É um dever que cumprirei na mais estrita lealdade, até o último cêntimo...

Uma última palavra. Entendo que se Victor, da Brigada Anticrime, travou essa batalha com uma desagradável intensidade, foi por cordialidade, e direi mais, por um cavalheiresco impulso dirigido à *senhora que ele admirou desde o primeiro dia, no cinema, e que foi vítima do impostor Antoine Bressacq, esse que se fez passar por Arsène Lupin. Também lhe pareceu justo devolvê-la à sua vida de memorável dama e de mulher honrada e foi por isso que a liberou. Queira ela, do intocável retiro para onde se refugiou, encontrar aqui, com as saudações de Victor, da Brigada Anticrime, e do peruano Marcos Avisto, a elevada estima de Arsène Lupin!*

No dia seguinte à publicação da carta, o diretor da polícia judiciária recebeu, por carta registrada, as nove apólices do governo. Uma folha de papel adicional deu à polícia breves explicações sobre a morte de Élise Masson, assassinada pelo barão d'Autrey.

Nunca mais ouvimos falar dos dez milhões que Arsène Lupin se comprometeu a devolver ao mercado.

Na quinta-feira seguinte, por volta das duas horas da tarde, a princesa Alexandra Basileïef deixou o apartamento da amiga a quem havia pedido asilo, caminhou por um longo tempo pelo Jardim das Tulherias, e depois pegou a Rua de Rivoli.

Vestia-se com simplicidade, mas, como de hábito, sua estranha e deslumbrante beleza atraía os olhares. Ela não fugia deles, nem se escondia. O que ela tinha a temer? Nenhum dos que poderiam suspeitar dela a conhecia. Nem o inglês Beamish, nem Antoine Bressacq a denunciaram.

Às três horas ela adentrou na pequena Praça Saint-Jacques. Em um dos bancos, à sombra da velha torre, sentava-se um homem. Ela hesitou no início. Seria ele? Ele parecia tão pouco com o peruano Marcos Avisto, tão pouco com Victor, da Brigada Anticrime! Muito mais jovem e elegante que Marcos Avisto! Muito mais esguio, complacente e distinto que o policial Victor! Essa juventude, esse ar de sedução cortês a perturbavam mais do que tudo.

No entanto, ela avançou. Seus olhares se encontraram. Ela não se enganou: era ele mesmo. Ela se sentou ao seu lado, sem dizer uma palavra. Eles ficaram assim, próximos um do outro, em silêncio. Uma emoção incalculável os unia e os separava, e eles tiveram medo de quebrar esse encanto.

Finalmente, ele disse:

– Sim, foi a primeira visão sua, no cinema, que guiou meus passos. Se prossegui nessa aventura, foi apenas para perseguir minha encantadora visão, mas como eu penei com o duplo papel a que fui forçado a desempenhar para me aproximar da senhora! Que penível teatro! Além disso, esse homem me enfurecia... Eu o detestava, mas ao mesmo tempo, sentia crescer dentro de mim um sentimento de curiosidade e de ternura pela mulher que ele havia enganado usando meu nome... um sentimento misto de irritação, mas que era, no fundo, amor, vasto e apaixonado, que não tive o direito de oferecer antes, mas que lhe ofereço agora.

Ele se interrompeu. Ela manteve-se calada. Ele não esperava uma resposta, nem mesmo queria uma resposta. Depois de falar por si e de dizer o que pensava, falou por ela, sem que ela pretendesse, nem por um só instante, se opor às afetuosas palavras que nela se impregnavam.

– O que mais me impressionou na senhora, e que me mostrou um pouco sobre o seu estado de espírito, foi a sua confiança instintiva. Eu a roubei e senti vergonha disso, mas eu atraí sua confiança, sem o seu conhecimento e por um motivo maior... a sua intrínseca necessidade de ser protegida. A senhora não era protegida pela sensação do perigo que lhe é, às vezes, essencial. Essa necessidade de correr riscos tornou-se uma angústia a qual a senhora não podia mais tolerar. Comigo, e desde o primeiro minuto, tudo na senhora se acalmou. Veja, outra noite, no auge do seu medo, a senhora relaxou e não se atormentou mais desde que o inspetor Victor estabeleceu a vontade dele. E, a partir do momento em que a senhora adivinhou quem realmente era o inspetor Victor, soube que não iria mais para a cadeia e esperou, sem medo, pela polícia. Em seu medo, havia apenas alegria... E sua alegria provinha do mesmo sentimento que o meu, não é? De um sentimento que parecia despertar abruptamente, mas com o qual a senhora já se deleitava com toda a força. Estou enganado? Essa é a verdade do seu coração?

Ela não contestou, e também não admitiu, mas quanta serenidade havia em seu belo rosto!

Eles permaneceram juntos até o anoitecer. Ao cair da noite, ela se deixou levar, não sabia para onde... Estavam felizes.

Alexandra recuperou o equilíbrio, sem talvez chegar a uma concepção de vida completamente normal e sem, acima de tudo, tentar influenciar a imprevisível existência de seu companheiro, que era tão cordial em suas imprevisibilidades, tão divertido em suas loucuras, tão leal em suas condenáveis investidas, e tão fiel a seus engajamentos mais absurdos!

Por isso, ele quis cumprir a promessa feita a Bressacq, a de fazê-lo "escapar", como ele disse, após oito meses, durante a transferência de Bressacq da penitenciária da ilha de Ré para a prisão. Quis também libertar o inglês Beamish, de acordo com a promessa de Bressacq.

Um dia, ele foi à Garches. Dois recém-casados saíam do salão de festas da prefeitura, entrelaçados com carinho. Era Gustave Géraume, divorciado de sua infiel esposa, e a baronesa Gabrielle d'Autrey, reconfortada viúva, noiva palpitante e apaixonada, que se apoiava delicadamente no braço de seu querido Gustave.

Quando eles estavam prestes a entrar em seu luxuoso carro, um cavalheiro muito elegante se aproximou deles, curvou-se diante da noiva e entregou-lhe um belo buquê de flores brancas.

– Não me reconhece, minha estimada senhora? Sou eu, Victor. Ainda se lembra de mim? Victor, da Brigada Anticrime, artífice da sua felicidade, aquele que presumiu a encantadora impressão que Gustave Géraume lhe deixou. Gostaria de lhe apresentar minha respeitosa reverência e meus votos sinceros...

Naquela mesma noite, o elegantíssimo e nobre cavalheiro disse à princesa Alexandra:

– Fico contente comigo mesmo. Devemos fazer o bem sempre que possível, para compensar o mal que, às vezes, somos forçados a cometer. Tenho certeza, Alexandra, de que a compassiva Gabrielle não esquecerá, em suas orações, do valente Victor, da Brigada Anticrime, graças a quem o abominável senhor d'Autrey foi enviado para o outro mundo, abrindo caminho para o irresistível e sedutor Gustave. E, diante disso tudo, você não imaginaria o quanto me alegro!